高一同學的目標

1. 熟背「高中 常用7000字」

2. 月期考得高分

3. 會說流利的英語

1. 「用會話背7000字①」書＋CD 280元

以三個極短句為一組的方式，讓同學背了會話，
同時快速增加單字。高一同學要從「國中常用
2000字」挑戰「高中常用7000字」，加強單字是
第一目標。

2. 「一分鐘背9個單字」書＋CD 280元

利用字首、字尾的排列，讓你快速增加單字。一次背9個比背
1個字簡單。

3. rival

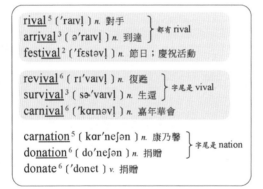

rival [5] ('raɪvl̩) n. 對手
arrival [3] (ə'raɪvl̩) n. 到達   } 都有 rival
festival [2] ('fɛstəvl̩) n. 節日；慶祝活動

revival [6] (rɪ'vaɪvl̩) n. 復甦
survival [3] (sə'vaɪvl̩) n. 生還   } 字尾是 vival
carnival [6] ('karnəvl̩) n. 嘉年華會

carnation [5] (kar'neʃən) n. 康乃馨
donation [6] (do'neʃən) n. 捐贈   } 字尾是 nation
donate [6] ('donet) v. 捐贈

3. 「一口氣考試英語」書＋CD 280元

把大學入學考試題目編成會話，背了以後，
會說英語，又會考試。

例如：

What a nice surprise! (真令人驚喜！)【常考】
I can't believe my eyes.
(我無法相信我的眼睛。)
Little did I dream of seeing you here.
(做夢也沒想到會在這裡看到你。)【駒澤大】

4.「一口氣背文法」書+ CD 280元

英文文法範圍無限大,規則無限多,誰背得完?
劉毅老師把文法整體的概念,編成216句,背完
了會做文法題、會說英語,也會寫作文。既是一
本文法書,也是一本會話書。

1. 現在簡單式的用法

I *get up* early every day.	我每天早起。
I *understand* this rule now.	我現在了解這條規定了。
Actions *speak* louder than words.	行動勝於言辭。

【二、三句強調實踐早起】

5.「高中英語聽力測驗①」書+ MP3 280元

6.「高中英語聽力測驗進階」書+ MP3 280元

高一月期考聽力佔20%,我們根據大考中心公布的
聽力題型編輯而成。

7.「高一月期考英文試題」書 280元

收集建中、北一女、師大附中、中山、成功、景
美女中等各校試題,並聘請各校名師編寫模擬試
題。

8.「高一英文克漏字測驗」書 180元

9.「高一英文閱讀測驗」書 180元

全部取材自高一月期考試題,英雄
所見略同,重複出現的機率很高。
附有翻譯及詳解,不必查字典,對
錯答案都有明確交待,做完題目,
一看就懂。

高二同學的目標──提早準備考大學

1.「用會話背7000字①②」
書+CD，每冊280元

「用會話背7000字」能夠解決
所有學英文的困難。高二同學
可先從第一冊開始背，第一冊
和第二冊沒有程度上的差異，
背得越多，單字量越多，在腦
海中的短句越多。每一個極短句大多不超過5個字，1個字或
2個字都可以成一個句子，如：「用會話背7000字①」p.184，
每一句都2個字，好背得不得了，而且與生活息息相關，是
每個人都必須知道的知識，例如：成功的祕訣是什麼？

11. What are the keys to success?

Be *ambitious*.	要有**雄心**。
Be *confident*.	要有**信心**。
Have *determination*.	要有**決心**。
Be *patient*.	要有**耐心**。
Be *persistent*.	要有**恆心**。
Show *sincerity*.	要有**誠心**。
Be *charitable*.	要有**愛心**。
Be *modest*.	要**虛心**。
Have *devotion*.	要**專心**。

當你背單字的時候，就要有「雄心」，要「決心」背好，對
自己要有「信心」，一定要有「耐心」和「恆心」，背書時
要「專心」。

背完後，腦中有2,160個句子，那不得了，無限多的排列組
合，可以寫作文。有了單字，翻譯、閱讀測驗、克漏字都難
不倒你了。高二的時候，要下定決心，把7000字背熟、背
爛。雖然高中課本以7000字為範圍，編書者為了便宜行事，
往往超出7000字，同學背了少用的單字，反倒忽略真正重要
的單字。千萬記住，背就要背「高中常用7000字」，背完之
後，天不怕、地不怕，任何考試都難不倒你。

2.「時速破百單字快速記憶」書 250元

字尾是 try，重音在倒數第三音節上

entry³ ('ɛntrɪ) n. 進入【No entry. 禁止進入。】
country¹ ('kʌntrɪ) n. 國家；鄉下【ou 讀 /ʌ/，為例外字】
ministry⁴ ('mɪnɪstrɪ) n. 部【mini = small】

chemistry⁴ ('kɛmɪstrɪ) n. 化學
geometry⁵ (dʒɪ'amətrɪ) n. 幾何學【geo 土地，metry 測量】
industry² ('ɪndəstrɪ) n. 工業；勤勉【這個字重音當唸錯】

poetry¹ ('po·ɪtrɪ) n. 詩
poultry⁴ ('poltrɪ) n. 家禽 ⎫ 字尾 y 表「集合名詞」
pastry⁵ ('pestrɪ) n. 糕餅 ⎭

3.「高二英文克漏字測驗」書 180元

4.「高二英文閱讀測驗」書 180元
全部選自各校高二月期考試題精華，英雄所見略
同，再出現的機率很高。

5.「7000字學測試題詳解」書 250元
一般模考題為了便宜行事，往往超出7000字範圍
，無論做多少份試題，仍然有大量生字，無法進
步。唯有鎖定7000字為範圍的試題，才會對準備
考試有幫助。每份試題都經「劉毅英文」同學實
際考過，效果奇佳。附有詳細解答，單字標明級
數，對錯答案都有明確交待，不需要再查字典，
做完題目，再看詳解，快樂無比。

6.「高中常用7000字解析【豪華版】」書 390元
按照「大考中心高中英文參考詞彙表」編輯而成
。難背的單字有「記憶技巧」、「同義字」及
「反義字」，關鍵的單字有「典型考題」。大學
入學考試核心單字，以紅色標記。

7.「高中7000字測驗題庫」書 180元
取材自大規模考試，解答詳盡，節省查字典的時間。

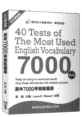

背「英文一字金」，有充電的感覺

編者從 23 歲開始教英文，最早教文法，寫了一本「文法寶典」，任何考題都難不倒學生。教升大學模擬試題，教到最後，幾乎絕望。同學每天做模擬試題，分數比別人高，但是經過研究，做第 1 份試題有 80 多個生字，到了第 100 份，還是 80 多個，因為英文單字太多，命題沒有範圍，生字再重複出現的機率很低。後來發明「7000 字模擬試題」，把單字控制在 7000 字範圍內，學生進步更快，更會考試了。根據統計，背了「高中常用 7000 字」，可以看懂所有文章的 90% 以上。

「英文一字金」的發明，解決了一切的問題。同學背了會考試，又會說話。如「人見人愛經」（How to Be Popular）第一回的 accessible，這個考試中常見的單字，你會背，還是不會用，加上個 Be，就變得簡單了。*Be accessible.*（要容易親近。）在字典上，access〔'æksɛs〕*n.* 接近或使用權，accessible 是「可接近的；易接近的；可進入的；易進入的；可使用的；易使用的」等，有 18 個意思，有誰記得？有誰會用？用「英文一字金」，背一次就永遠記得，因為有主題、有內容，你可以教導別人，如果要受人歡迎，就要：

> *Be accessible.*（要容易親近。）
> *Accountable.*（要負責任。）
> *Amiable.*（要和藹可親。）

這三個字、三句話，字字珠璣，都是常考的得分關鍵字。像 *Accountable.* 名詞是 account（帳戶），管帳的人一定要負責任（accountable）。*Amiable.* 這個字常考，卻很難記得。加上 Be，說成：*Be amiable.*（要和藹可親。）就不容易忘。

> *Be agreeable.*（要令人愉快。）
> *Attractive.*（要吸引人。）
> *Affectionate.*（要有情有意。）

agreeable 的意思有：「令人愉快的；愜意的；欣然同意的；願意的；適合的；符合的；一致的；可接受的；宜人的；令人滿意的」。爲什麼這個字常考？因爲命題教授認爲，學生一定不知道這個字的主要意思是「令人愉快的」，和字面意思不同。affectionate 的意思有：「摯愛的；表示愛的；充滿深情的；溫柔親切的；出於柔情的；深情的」。*Be affectionate.* 翻成「**要有情有意。**」（不是「有情有義。」）你就不會忘了。如果翻成：「摯愛的；充滿愛的；滿懷情意的；溫柔親切的」，你背了會忘。中文翻譯一定要看上下文，而且要具體、實用。在中文裡的「有情有義」，英文是 be affectionate and faithful。我們天天背：*Be agreeable. Attractive. Affectionate.* 自己就會受到影響。

> *Be authentic.*（要眞誠，不要虛假。）
> *Amusing.*（要有趣。）
> *Accommodating.*（要有包容心。）

在服務業，有些人爲了迎合客人，一天到晚假來假去，讓人很討厭，所以，我們勸人，要讓別人喜歡，一定要 *Be authentic.*（要眞誠，不要虛假。）authentic 來自 author（作者）。很多人都認識 amuse 這個字，可是不會用。如果你背了：*Be amusing.*（要有趣。）說起來便有信心。*Accommodating.* 在字典上的意思有：「樂於幫助的；與人方便的；肯通融的；善於適應新環境的；隨和的」。accommodate 在字典上的意思有：「使適應；使符合一致；調和（分歧）；在…之間消弭紛爭；給…提供方便；通融」等，15 個意思。英文一字多義，絕不能只背單字，要背句子，句子越短越好，最高境界是一字一句。你勸別人要讓人喜歡，可說：*Be accommodating.* 就是「**要有包容心。**」必須把 accommodate 的主要意思「容納」放進去，你才背得下來。「英文一字金」眞是「一字千金」啊！

這些句子我都先背，背不下來就改。如：*authentic-amusing-accommodating*，你唸一遍，是不是馬上記得下來？背完就有充滿電的感覺。我每天都很愉快，因爲不停地在進步，非常有成就感。

劉　毅

How to Be Popular

1. A

看英文唸出中文	一口氣說九句	看中文唸出英文
accessible⁶ 〔 æk'sɛsəbḷ 〕*adj.*	字首是 acc ⎰ Be *accessible*. 要容易親近。	容易接近的
accountable⁶ 〔 ə'kaʊntəbḷ 〕*adj.*	*Accountable*. 要負責任。	應負責任的
amiable⁶ 〔'emɪəbḷ 〕*adj.*	*Amiable*. 要和藹可親。	和藹可親的
agreeable⁴ 〔 ə'griəbḷ 〕*adj.*	*Agreeable*. 要令人愉快。	令人愉快的
attractive³ 〔 ə'træktɪv 〕*adj.*	字首是 Att 和 Aff ⎰ *Attractive*. 要吸引人。	吸引人的
affectionate⁶ 〔 ə'fɛkʃənɪt 〕*adj.*	*Affectionate*. 要有情有意。	摯愛的
authentic⁶ 〔 ɔ'θɛntɪk 〕*adj.*	*Authentic*. 要真誠，不要虛假。	真正的
amusing⁴ 〔 ə'mjuzɪŋ 〕*adj.*	字尾是 ing ⎰ *Amusing*. 要有趣。	有趣的
accommodating⁶ 〔 ə'kɑmə‚detɪŋ 〕*adj.*	*Accommodating*. 要有包容心。	包容的

字尾是 ble

I. 背景説明：

　　要讓別人喜歡你，一定要容易親近。*Be accessible.* (= *Be open.* = *Be reachable.*) 可説成：***Be*** an ***accessible*** person. （要做一個容易親近的人。）***Be*** open and ***accessible*** to others. （對他人要開放，並且容易親近。）*Accountable.* (= *Be accountable.* = *Be responsible.*) 可説成：Be ***accountable*** for your actions. （要對你的所做所爲負責任。）Hold yourself ***accountable.*** （要負責任。）(= *Be responsible.*)【hold〔hold〕*v.* 認爲】accountable 的名詞是 account，主要的意思是「帳戶」，管帳的人要負責，才會有 accountable 這個字。*Amiable.* (= *Be amiable.* = *Be friendly.*) 可加強語氣説成：Be ***amiable*** and friendly. （要非常友善。）Have an ***amiable*** demeanor. （要有和藹可親的態度。）【demeanor〔dı'minə〕*n.* 態度；舉止】

Be amiable.

　　Agreeable. (= *Be agreeable.*) 可説成：Be ***agreeable*** with others. （要使別人愉快。）agreeable 的動詞是 agree （同意），別人説的話你同意，自然令人愉快。可加強語氣説成：Be obliging and ***agreeable.*** （要樂於助人，並令人愉快。）*Attractive.* (= *Be attractive.*) 可説成：Make yourself ***attractive.*** （要使自己有吸引力。）Be an ***attractive*** person. （要做一個有吸引力的人。）*Affectionate.* (= *Be affectionate.*) 這個字的名詞是 affection （愛；慈愛），尤指家人之間的愛。所以 Be ***affectionate.*** 是「要溫柔親切。」(= *Be warm.*) 對人要像對待家人一樣的親切，也就是「要有情有意。」

Authentic. (= *Be authentic.*) 源自 author（作者），作者是原創者，所以 authentic 就是「眞的」。可説成：Be an *authentic* person.（要做一個眞誠的人，不要虛假。）Be *authentic* in everything you do.（做每件事都要眞誠。）

Amusing. (= *Be amusing.*) 可加強語氣説成：Be witty and *amusing.*（要非常風趣。）Always have an *amusing* story to tell.（要總是有有趣的故事可以説。）*Accommodating.* (= *Be accommodating.* = *Be helpful and easy to work with.*) 動詞 accommodate 主要的意思是「容納」，才會產生 *accommodating* (= *helpful* = *obliging*) 這個字，要容納並幫助別人，也就是「要有包容心」。必須把「容納」的意思放進去，這個字才背得下來。

Greetings, everybody!

Be accessible.
Accountable.
Amiable.

Agreeable.
Attractive.
Affectionate.

Authentic.
Amusing.
Accommodating.

That's how to become popular.

II. 短篇英語演講：

Greetings, *everybody!* 大家好！

Be an *accessible* person. 要做一個容易親近的人。
Be *accountable* for your actions. 要為你的所做所為負責任。
Have an *amiable* demeanor. 要有和藹可親的態度。

Be obliging and *agreeable*. 要樂於助人，並且令人愉快。
Make yourself *attractive*. 要讓自己有吸引力。
Be warm and *affectionate*. 要熱心並且有情有意。

Be an *authentic* person. 要做一個真誠的人，不要虛假。
Always have an *amusing* story to tell.
要總是有有趣的故事可以說。
Be considerate and *accommodating*. 要體貼，並且有包容心。

That's how to become popular. 那就是如何受人歡迎的方法。

III. 短篇作文：

How to Become Popular

In order to become popular, you must *be* open and *accessible* to others. You must hold yourself *accountable*, yet be *amiable* and friendly. *Moreover*, you should be *agreeable* with others. Be an *attractive* person. Be *affectionate* with your loved ones. *Finally*, be *authentic* in everything you do. Be witty and *amusing*. *Above all*, be helpful and *accommodating*. *Then* you will become popular.

要如何受人歡迎

要受人歡迎，你必須對他人要開放，並且容易親近。你必須要負責任，但是要非常友善。此外，你應該要使別人愉快。要做一個有吸引力的人。要對你的家人有情有意。最後，做每件事都要真誠。要非常風趣。最重要的是，要樂於助人，並且有包容心。那樣你就會受人歡迎。

* loved〔ˋlʌvd〕*adj.* 親愛的

loved ones 深愛的人（尤指家人）　　witty〔ˋwɪtɪ〕*adj.* 風趣的

IV. 填空：

To become popular, you must be open and ___1___. You must hold yourself ___2___ for your actions. Remember to be ___3___ and friendly to others.

What's more, you should be ___4___ with others. Maintain an ___5___ appearance. Be ___6___ with the people you care about.

Finally, be ___7___ in everything you do. Be witty and ___8___. Above all, be helpful and ___9___. Then you will become popular.

要受人歡迎，你必須要開放，並且容易親近。你必須為自己的所做所為負責任，記得要對別人非常親切。

此外，你應該要使別人愉快。要維持吸引人的外表。要對你關心的人有情有意。

最後，要對你所做的每件事負責。要非常風趣。最重要的是，要樂於助人，並且有包容心。那樣你就會受人歡迎。

【解答】1. accessible　2. accountable　3. amiable
4. agreeable　5. attractive　6. affectionate
7. authentic　8. amusing　9. accommodating

V. 詞彙題：

Directions: *Choose the one word that best completes the sentence.*

1. When you're _____, you make it easy for people to know you.
   (A) absent   (B) absolute   (C) accidental   (D) accessible

2. Hold yourself _____ and gain the admiration of others.
   (A) absurd   (B) accountable   (C) additional   (D) abundant

3. Everybody likes to hang out with an _____ character.
   (A) alone   (B) alike   (C) amiable   (D) afraid

4. Go out of your way to be _____ and people will like you.
   (A) agreeable   (B) amateur   (C) ambiguous   (D) annual

5. _____ people are certainly the most popular people of all.
   (A) Ancient   (B) Attractive   (C) Anxious   (D) Arctic

6. Make people feel good with an _____ manner.
   (A) automatic   (B) athletic   (C) asleep   (D) affectionate

7. You won't be popular without an _____ personality.
   (A) ample   (B) awful   (C) authentic   (D) awkward

8. Be _____ and you'll be the most popular person in town.
   (A) amusing   (B) applicable   (C) allergic   (D) airtight

9. Popular people are _____ and eager to please.
   (A) anonymous   (B) abrupt   (C) abstract
   (D) accommodating

【答案】 1.(D)   2.(B)   3.(C)   4.(A)   5.(B)   6.(D)
      7.(C)   8.(A)   9.(D)

VI. 同義字整理：

1. **accessible**〔æk'sɛsəbḷ〕 *adj.*
   容易接近的
   - = reachable〔'ritʃəbḷ〕
   - = approachable〔ə'protʃəbḷ〕
   - = available〔ə'veləbḷ〕

   - = open〔'opən〕
   - = easy to approach

2. **accountable**〔ə'kaʊntəbḷ〕
   adj. 應負責任的
   - = responsible〔rɪ'spɑnsəbḷ〕
   - = liable〔'laɪəbḷ〕
   - = obliged〔ə'blaɪdʒd〕
   - = obligated〔'ɑblə,getɪd〕

3. **amiable**〔'emɪəbḷ〕 *adj.*
   友善的；和藹可親的
   - = friendly〔'frɛndlɪ〕
   - = kind〔kaɪnd〕

4. **agreeable**〔ə'griəbḷ〕 *adj.*
   令人愉快的
   - = pleasant〔'plɛznt〕
   - = sociable〔'soʃəbḷ〕
   - = friendly〔'frɛndlɪ〕
   - = nice〔naɪs〕

5. **attractive**〔ə'træktɪv〕 *adj.*
   吸引人的
   - = charming〔'tʃɑrmɪŋ〕
   - = glamorous〔'glæmərəs〕
   - = magnetic〔mæg'nɛtɪk〕

6. **affectionate**〔ə'fɛkʃɪnɪt〕 *adj.*
   摯愛的；溫柔親切的；有情有意的
   - = loving〔'lʌvɪŋ〕
   - = caring〔'kɛrɪŋ〕
   - = warm〔wɔrm〕
   - = kind〔kaɪnd〕

7. **authentic**〔ɔ'θɛntɪk〕 *adj.* 眞正的
   - = real〔'riəl〕
   - = genuine〔'dʒɛnjuɪn〕

8. **amusing**〔ə'mjuzɪŋ〕 *adj.* 有趣的
   - = funny〔'fʌnɪ〕
   - = interesting〔'ɪntrɪstɪŋ〕
   - = entertaining〔,ɛntɚ'tenɪŋ〕
   - = humorous〔'hjumərəs〕
   - = witty〔'wɪtɪ〕

9. **accommodating**〔ə'kɑmə,detɪŋ〕
   adj. 隨和的；肯幫忙的
   - = obliging〔ə'blaɪdʒɪŋ〕
   - = willing〔'wɪlɪŋ〕
   - = helpful〔'hɛlpfəl〕
   - = amiable〔'emɪəbḷ〕

How to Be Popular

2. C (1)

看英文唸出中文	一 口 氣 說 九 句	看中文唸出英文
cute¹ 〔 kjut 〕 *adj.*	Be *cute*. 要可愛。	可愛的
calm² 〔 kɑm 〕 *adj.*	字首是 Ca { *Calm*. 要冷靜。	冷靜的
carefree⁵ 〔'kɛr͵fri 〕 *adj.*	*Carefree*. 要無憂無慮。	無憂無慮的
cordial⁶ 〔'kɔrdʒəl 〕 *adj.*	*Cordial*. 要有熱誠。	熱誠的
courteous⁴ 〔'kɝtɪəs 〕 *adj.*	字首是 Cour { *Courteous*. 要有禮貌。 字尾是 eous	有禮貌的
courageous⁴ 〔kə'redʒəs 〕 *adj.*	*Courageous*. 要有勇氣。	有勇氣的
cheerful³ 〔'tʃɪrfəl 〕 *adj.*	*Cheerful*. 要令人愉快。 字尾是 rful	令人愉快的
colorful² 〔'kʌləfəl 〕 *adj.*	*Colorful*. 要多彩多姿，引人注目。	多彩多姿的
character² 〔'kærɪktə 〕 *n.*	Have good *character*. 要有好的個性。	個性

I. 背景説明：

　　Be cute. 可加強語氣説成：*Be cute* and charming. （要可愛又迷人。）(= *Be cute and attractive*.) *Calm*. (= *Be calm*.) Be a *calm* person. （要做一個冷靜的人。）Have a *calm* demeanor. （要有冷靜的態度。）*Carefree*. (= *Be carefree*.) 可説成：Have a *carefree* attitude. （要有無憂無慮的態度。）Be *carefree* and amiable. （要無憂無慮又和藹可親。）

　　Cordial. (= *Be cordial*. = *Be sincere*. = *Be warm*. = *Be friendly*.) cordial 是「熱誠的；熱情友好的；眞心的」。Be *cordial* to others. （對別人要熱誠。）Be *cordial* and well-spoken. （要既熱誠又會說話。）*Courteous*. (= *Be courteous*.) 源自 court （宮廷），在宮廷要有禮貌。Be kind and *courteous*. （要親切又有禮貌。）Treat others *courteously*. （要有禮貌地對待別人。）*Courageous*. (= *Be courageous*.) Be a *courageous* person. （要做一個有勇氣的人。）Be *courageous* in the face of danger. （面對危險要勇敢。）

　　Cheerful. (= *Be cheerful*.) 可説成：Be pleasant and *cheerful*. （要令人感到愉快而且開朗。）Have a *cheerful* personality. （要有開朗的個性。）*cheerful* 有兩個意思：①愉快的；開朗的 (= *happy*) ②令人愉快的 (= *pleasant*)。*Colorful*. (= *Be colorful*.) 基本的意思是「多彩多姿的」(striking in variety)，可引申爲「有趣的；引人注目的」(interesting and exciting)。可説成：Be a *colorful* character. （要做一個有趣的人。）【character [ˈkærɪktɚ] *n*. 個性；人】Tell *colorful* stories. （要說有趣的故事。）Live a *colorful* life. （要過多彩多姿的生活。）Use *colorful* language. （要用生動的語言。）*Have good character*. (= *Have a good character*.) **Have good character**, and you will be popular. （有好的個性，你就會受人歡迎。）

II. 英語演講：

【一字英語演講】	【短篇英語演講】
Ladies and gentlemen:	*Ladies and gentlemen:* 各位先生，各位女士：
Be cute.	*Be cute* and attractive. 要可愛又有吸引力。
Calm.	Have a *calm* demeanor. 要有冷靜的態度。
Carefree.	Be *carefree* and amiable.
	要無憂無慮而且和藹可親。
Cordial.	
Courteous.	Be *cordial* and well-spoken.
Courageous.	要既熱誠又會說話。
	Be kind and *courteous*. 要親切又有禮貌。
Cheerful.	Be a *courageous* person. 要做一個有勇氣的人。
Colorful.	Have a *cheerful* personality.
Have good character.	要有開朗的個性。
Do this and popularity will follow.	Be a *colorful* character. 要做一個有趣的人。
	Have good character and integrity.
	要有好的個性並且正直。
	Do this and popularity will follow.
	這樣做就能受人歡迎。

III. 短篇作文：

How to Be Popular

Lots of people are popular, and you can be, too. *First*, *be cute* and charming. Be a *calm* person with a *carefree* attitude, ready for anything and easy to please. *Likewise*, be *cordial* in your personal relations. Treat others *courteously*. *Moreover*, be *courageous* in the face of danger. Be pleasant and *cheerful*. Live a *colorful* life. *Have good character*. That's how people become popular.

如何受人歡迎

很多人很受歡迎，你也可以做得到。首先，要可愛又迷人。要做一個冷靜的人，有無憂無慮的態度，準備好迎接任何事，並且容易取悅。同樣地，對人要熱誠。要有禮貌地對待別人。此外，面對危險要有勇氣。要令人感到愉快而且開朗。要過著多彩多姿的生活。要有好的個性。那就是受人歡迎的方法。

> * *make it* 成功　　please〔pliz〕*v.* 取悅
> relations〔rɪ'leʃənz〕*n. pl.* 關係　　*in the face of* 面對

IV. 填空 :

Popular people are ___1___ and charming. Be a ___2___ person with a ___3___ spirit, ready for anything and easy to please.

Next, be ___4___ in your personal relations by treating others ___5___. *Additionally*, be ___6___ during tough times.

Be a pleasant and ___7___ person. Live a ___8___ life. Have a good ___9___. That's how people become popular.

受歡迎的人既可愛又迷人。要做個冷靜的人，擁有輕鬆愉快的精神，準備好迎接任何事，並且容易取悅。

其次，與人相處要有熱忱，並且要有禮貌地對待別人。此外，在艱難時期要有勇氣。

要做一個令人感到愉快而且開朗的人。要過著多彩多姿的生活。要有好的個性。那就是受人歡迎的方法。

【解答】 1. cute　2. calm　3. carefree　4. cordial
　　　　5. courteously　6. courageous　7. cheerful
　　　　8. colorful　9. character
　　　　* tough〔tʌf〕*adj.* 困難的

V. 詞彙題：

Directions: *Choose the one word that best completes the sentence.*

1. A _____ face and a winning smile are the keys to popularity.
   (A) customary   (B) cultural   (C) current   (D) cute

2. He remains _____ no matter what's happening.
   (A) calm   (B) chilly   (C) clinical   (D) collective

3. She has gone through life with a _____ attitude.
   (A) commercial   (B) consequent   (C) carefree
   (D) colloquial

4. It's important to be _____ in all relationships.
   (A) considerable   (B) cordial   (C) contrary   (D) cosmetic

5. A _____ and respectful person is welcome everywhere in the world.
   (A) courteous   (B) countable   (C) corrupt   (D) critical

6. You will be rewarded with popularity for being _____.
   (A) cunning   (B) crazy   (C) cruel   (D) courageous

7. Her _____ personality lights up the room.
   (A) compact   (B) cheerful   (C) costly   (D) continual

8. His _____ stories were incredibly popular with the children.
   (A) cloudy   (B) colonial   (C) colorful   (D) compatible

9. There is a side to his _____ which you haven't seen yet.
   (A) casualty   (B) caffeine   (C) character   (D) clearance

【答案】 1. (D)   2. (A)   3. (C)   4. (B)   5. (A)   6. (D)
　　　　 7. (B)   8. (C)   9. (C)

VI. 同義字整理：

1. **cute**〔kjut〕*adj.* 可愛的
   - = sweet〔swit〕
   - = attractive〔ə'træktɪv〕
   - = charming〔'tʃɑrmɪŋ〕

   - = appealing〔ə'pilɪŋ〕
   - = delightful〔dɪ'laɪtfəl〕

2. **calm**〔kɑm〕*adj.* 冷靜的
   - = cool〔kul〕
   - = relaxed〔rɪ'lækst〕
   - = peaceful〔'pisfəl〕

3. **carefree**〔'kɛr,fri〕*adj.* 無憂無慮的；輕鬆愉快的
   - = happy〔'hæpɪ〕
   - = cheerful〔'tʃɪrfəl〕
   - = untroubled〔ʌn'trʌbl̩d〕
   - = easy-going〔'izɪ,goɪŋ〕

4. **cordial**〔'kɔrdʒəl〕*adj.* 熱誠的
   - = warm〔wɔrm〕
   - = friendly〔'frɛndlɪ〕
   - = hearty〔'hɑrtɪ〕
   - = affectionate〔ə'fɛkʃənɪt〕

5. **courteous**〔'kɝtɪəs〕*adj.* 有禮貌的
   - = polite〔pə'laɪt〕
   - = respectful〔rɪ'spɛktfəl〕
   - = civil〔'sɪvl̩〕

6. **courageous**〔kə'redʒəs〕*adj.* 有勇氣的
   - = brave〔brev〕
   - = bold〔bold〕
   - = daring〔'dɛrɪŋ〕

   - = heroic〔hɪ'roɪk〕
   - = valiant〔'væljənt〕

7. **cheerful**〔'tʃɪrfəl〕*adj.* 愉快的；開朗的
   - = joyful〔'dʒɔɪfəl〕
   - = merry〔'mɛrɪ〕
   - = happy〔'hæpɪ〕

8. **colorful**〔'kʌləfəl〕*adj.* 多彩多姿的；吸引人的
   - = bright〔braɪt〕
   - = distinctive〔dɪ'stɪŋktɪv〕
   - = rich in variety

9. **character**〔'kærɪktə〕*n.* 個性
   - = personality〔,pɝsn̩'ælətɪ〕
   - = nature〔'netʃə〕

How to Be Popular

3. C (2)

看英文唸出中文	一口氣說九句	看中文唸出英文

compliment[6]
(ˈkɑmpləˌmɛnt) *v.*
compromise[5]
(ˈkɑmprəˌmaɪz) *v.*
compassionate[5]
(kəmˈpæʃənɪt) *adj.*

字首都是 com
Compliment.
要稱讚。
Compromise.
要妥協。
Be *compassionate*.
要有同情心。

稱讚

妥協　

有同情心的

---

content[4]
(kənˈtɛnt) *adj.*
constant[3]
(ˈkɑnstənt) *adj.*
conscientious[6]
(ˌkɑnʃɪˈɛnʃəs) *adj.*

字首都是 Con
Content.
要知足。
Constant.
要持續不斷。
Conscientious.
要有良心。

字尾是 nt

滿足的

不斷的；持續的

有良心的

---

considerate[5]
(kənˈsɪdərɪt) *adj.*
consistent[4]
(kənˈsɪstənt) *adj.*
constructive[4]
(kənˈstrʌktɪv) *adj.*

字首都是 Cons
Considerate.
要體貼。
Consistent.
言行要前後一致。
Constructive.
要有建設性的建議。

體貼的

一致的

有建設性的

I. 背景説明：

Compliment. 可説成：*Compliment* others.（要稱讚別人。）
Be quick to *compliment*.（稱讚要快。）*Compliment* people
frequently.（要常常稱讚大家。）compromise 這個字，是由 com
(together) + promise（答應），雙方一起答應，表示「妥協」。
Compromise. 可説成：Be willing to *compromise*.（要願意妥
協。）*Compromise* and accommodate.（要妥協和包容。）*Be*
compassionate. 可説成：*Be a compassionate* person.（要做個有同
情心的人。）*Be compassionate* and kind.（要有同情心而且親切。）

<u>com</u>'<u>passion</u>'<u>ate</u>　有同樣的熱情，即是「同情的」，名詞是
　together!　熱情　!*adj.*
compassion（同情）。【詳見「英文字根字典」p.360】

Content.（= *Be content*.）Be *content* with what you have.
（要對你所擁有的感到滿足。）Be *content* to be alive.（活著就
要滿足。）*Constant*.（= *Be constant*.）Be a *constant* worker.
（要持續不斷地工作。）Be a *constant* source of entertainment.
（要持續爲大家提供娛樂。）Be *constantly* entertaining.（要一
直很有趣。）*Conscientious*.（= *Be conscientious*.）Be a
conscientious citizen.（要做一個有良心的公民。）Be
conscientious in your actions.（你的所做所爲要有良心。）
conscientious 的名詞是 conscience。

<u>con</u>'<u>science</u>，大家都認爲是科學的，是對的，即是「良心」。
　all !　科學

 Considerate.(*= Be considerate.*)Always be ***considerate*** of others.（永遠要對別人體貼。）Be a ***considerate*** person.（要做一個體貼的人。）*Consistent.*(*= Be consistent.*) Be ***consistent*** and reliable.（要前後一致，並且可靠。）Be ***consistent*** in thought and deed.（思想和行爲要一致。）可加強語氣說成：Be ***consistent*** and unchanging.（要前後一致，不要變來變去。）*Constructive.*(*= Be constructive.*) 含有 Offer ***constructive*** advice.（要提供有建設性的建議。）的意思。要受人歡迎，必須在任何情況下都有幫助（*be helpful in any situation*），使情況變好，不是變壞（make things better, not worse）。Be a ***constructive*** person.（要做一個有建設性的人。）Be ***constructive*** in all situations.（在所有情況下，所說的話、所做的事，都要有建設性。）

Students and parents:

Compliment.
Compromise.
Be compassionate.

Content.
Constant.
Conscientious.

Considerate.
Consistent.
Constructive.

These are the ways to be popular.

II. 短篇英語演講：

Students and parents: 各位同學，各位家長：

Be quick to *compliment*. 要快點稱讚。
Compromise and accommodate. 要妥協和包容。
Be a *compassionate* person. 要做一個有同情心的人。

Be *content* to be alive. 活著就要知足。
Be a *constant* worker. 要持續不斷地工作。
Be a *conscientious* citizen. 要做一個有良心的公民。

Always be *considerate* of others. 一定要體貼別人。
Be *consistent* in thought and deed. 思想和行為要一致。
Offer *constructive* advice. 要提供有建設性的建議。

These are the ways to be popular.
這些就是受人歡迎的方法。

III. 短篇作文：

Ways to Be Popular

Popularity usually doesn't just happen to people. *In fact*, you have to work for it. Here are some ways. *Compliment* others. Be willing to *compromise*. *Be compassionate* and kind. Be *content* with what you have. Be a *constant* worker who never quits. *On top of that*, be a *conscientious* citizen. Be *consistent* in thought and deed. Always be *considerate* of others. *And finally*, be a *constructive* person.

受人歡迎的方法

　　受人歡迎通常不會突然降臨在某人身上。事實上，你必須要努力，才能受人歡迎。以下是一些方法。要稱讚別人。要願意妥協。要有同情心而且親切。要對自己擁有的感到滿足。要持續不斷地工作，絕不放棄。此外，要做一個有良心的公民。思想和行為要一致。一定要體貼別人。最後，要做一個有建設性的人。

　* quit〔kwɪt〕*v.* 放棄；辭職
　　on top of that 此外　　deed〔did〕*n.* 行為

IV. 填空：

　　You should ___2___ others. Popularity comes to those who are willing to ___1___. Likewise, be ___3___ and kind.

　　Be ___4___ with what you have. Be a ___5___ worker who never quits. On top of that, be a ___6___ person.

　　Always be ___7___ of others. Be ___8___ in thought and deed. And finally, offer ___9___ advice.

　　你應該要稱讚別人。願意妥協的人，才會受歡迎。同樣地，要有同情心而且親切。

　　要對你所擁有的感到滿足。要持續不斷地工作，絕不放棄。此外，要做一個有良心的人。

　　一定要體貼別人。思想和行為要一致。最後，要提供有建設性的建議。

【解答】 1. compliment　2. compromise　3. compassionate
　　　　 4. content　5. constant　6. conscientious
　　　　 7. considerate　8. consistent　9. constructive

V. 詞彙題：

Directions: *Choose the one word that best completes the sentence.*

1. _____ others makes them feel good and costs nothing.
   (A) Complaining (B) Complicating (C) Commuting
   (D) Complimenting

2. If you're willing to _____, people will want to work with you.
   (A) compel (B) compromise (C) compare (D) comprise

3. There is great value in being _____ toward others.
   (A) compassionate (B) capable (C) casual (D) central

4. Those who are _____ in life make the best friends.
   (A) contagious (B) concrete (C) content (D) conscious

5. A popular person provides _____ entertainment.
   (A) constant (B) concise (C) convenient (D) complex

6. An honorable and _____ person will achieve popularity.
   (A) changeable (B) conscientious (C) controversial
   (D) comparative

7. A _____ person always puts others first.
   (A) common (B) constant (C) considerate (D) curious

8. By being _____ and reliable, you will win new friends.
   (A) childish (B) circular (C) chief (D) consistent

9. A _____ person always tries to make a situation better.
   (A) clumsy (B) chronic (C) constructive (D) classical

【答案】1.(D) 2.(B) 3.(A) 4.(C) 5.(A) 6.(B)
　　　　7.(C) 8.(D) 9.(C)

VI. 同義字整理：

1. **compliment**（'kamplə,mɛnt）
   v. 稱讚
   ⎡ = praise（prez）
   ⎣ = commend（kə'mɛnd）

2. **compromise**（'kamprə,maiz）
   v. 妥協
   ⎡ = concede（kən'sid）
   ⎢ = meet halfway
   ⎣ = make concessions

3. **compassionate**
   （kəm'pæʃənit）*adj.* 有同情心的
   ⎡ = sympathetic（,simpə'θɛtik）
   ⎢ = understanding
   ⎣ （,ʌndə'stændiŋ）

4. **content**（kən'tɛnt）*adj.* 滿足的
   ⎡ = satisfied（'sætis,faid）
   ⎢ = pleased（plizd）
   ⎣ = happy（'hæpi）

5. **constant**（'kanstənt）*adj.* 持續的；不斷的
   ⎡ = persistent（pə'zistənt）
   ⎣ = continual（kən'tinjuəl）
   ⎡ = steady（'stɛdi）
   ⎣ = stable（'stebl̩）

6. **conscientious**（,kanʃi'ɛnʃəs）
   adj. 有良心的
   ⎡ = upright（'ʌp,rait）
   ⎢ = moral（'mɔrəl）
   ⎢ = honorable（'anərəbl̩）
   ⎣ = honest（'anist）

7. **considerate**（kən'sidərit）
   adj. 體貼的
   ⎡ = thoughtful（'θɔtfəl）
   ⎢ = concerned（kən'sɜnd）
   ⎢ = attentive（ə'tɛntiv）
   ⎣ = mindful（'maindfəl）

8. **consistent**（kən'sistənt）
   adj. 一致的
   ⎡ = persistent（pə'zistənt）
   ⎢ = steady（'stɛdi）
   ⎣ = stable（'stebl̩）

9. **constructive**（kən'strʌktiv）
   adj. 有建設性的
   ⎡ = productive（prə'dʌktiv）
   ⎢ = valuable（'væljəbl̩）
   ⎢ = helpful（'hɛlpfəl）
   ⎣ = useful（'jusfəl）

How to Be Popular

4. **D**

看英文唸出中文	一口氣說九句	看中文唸出英文
daring[3] (ˈdɛrɪŋ) *adj.*	字首是 da { **Be *daring*.** 要勇敢。 } 字尾是 ing	勇敢的
dazzling[5] (ˈdæzl̩ɪŋ) *adj.*	**Dazzling.** 要耀眼。	令人目眩的
decent[6] (ˈdisn̩t) *adj.*	**Decent.** 要高尚。	高尚的

dependable[4] (dɪˈpɛndəbl̩) *adj.*	字首都是 De { ***Dependable*.** 要可靠。 } 字尾是 able	可靠的
desirable[3] (dɪˈzaɪrəbl̩) *adj.*	***Desirable*.** 要讓人喜愛。	使人喜愛的
delightful[4] (dɪˈlaɪtfəl) *adj.*	***Delightful*.** 要令人高興。	令人高興的

dynamic[4] (daɪˈnæmɪk) *adj.*	字首是 Di { ***Dynamic*.** 要有活力。 } 字尾是 ic	充滿活力的
diplomatic[6] (ˌdɪpləˈmætɪk) *adj.*	***Diplomatic*.** 要有外交手腕。	有外交 手腕的
distinctive[5] (dɪˈstɪŋktɪv) *adj.*	***Distinctive*.** 要與眾不同。	與眾不同的

I. 背景説明：

Be daring. 可加強語氣説成：**Be daring** and adventurous.（要勇敢，而且愛冒險。）**Be daring** enough to take risks.（膽子要夠大，勇於冒險。）*Dazzling.*（= *Be dazzling.*）dazzle 主要的意思是「使目眩」，dazzling 的意思是「令人目眩的」，引申爲「耀眼的」，也就「令人驚奇的」（amazing）、「有吸引力的」（attractive）、「亮麗的」（brilliant）、「令人難忘的」（impressive）。Have a *dazzling* smile.（要有令人難忘的微笑。）Be glamorous and *dazzling*.（要非常有魅力。）*Decent.*（= *Be decent.*）Be a *decent* person.（要做一個品格高尚的人。）Be *decent* and respectable.（要高尚並且令人尊敬。）

Dependable.（= *Be dependable.*）Be a *dependable* friend.（要做一個可靠的朋友。）Be steady and *dependable*.（要穩定又可靠。）*Desirable.*（= *Be desirable.*）Make yourself *desirable*.（要使自己讓人喜愛。）Have a *desirable* personality.（要有使人喜愛的個性。）desirable 源自於動詞 desire（想要），意思有：「使人喜愛的；值得嚮往的；值得擁有的；嫵媚動人的；可取的；有利的」。*Delightful.*（= *Be delightful.*）Be *delightful* to be around.（要讓周圍的人高興。）（= *Be somebody who is fun to spend time with.*）Be a *delightful* character.（要做一個令人高興的人。）【character〔ˈkærɪktə〕*n.* 個性；人】

Dynamic. (= *Be dynamic*.) Be a *dynamic* person. (要做一個有活力的人。) Be *dynamic* and interesting. (要有活力又有趣。) *Diplomatic*. (= *Be diplomatic*.) Be *diplomatic* when necessary. (有必要時，要有外交手腕。) Be tactful and *diplomatic*. (做人要非常圓滑。)【tactful〔'tæktfəl〕*n.* 圓滑的】「外交官」是 diplomat〔'dɪplə,mæt〕，「畢業證書」是 diploma〔dɪ'plomə〕。di 表示 two，畢業證書有兩聯，外交官是維護兩國關係的官員。*Distinctive*. (= *Be distinctive*. = *Be distinguishing*.) Be a *distinctive* individual. (要做一個與眾不同的人。) Have a *distinctive* personality. (要有與眾不同的個性。)

Welcome, all:

Be daring.
Dazzling.
Decent.

Dependable.
Desirable.
Delightful.

Dynamic.
Diplomatic.
Distinctive.

These are great ways to become popular.

II. 短篇英語演講：

Welcome, all: 歡迎大家：

Be daring and adventurous. 要勇敢而且愛冒險。
Be glamorous and *dazzling*. 要有魅力又耀眼。
Be *decent* and respectful. 要既高尚又恭敬。

Be a *dependable* friend. 要做一個可靠的朋友。
Make yourself *desirable*. 要使自己令人喜愛。
Be a *delightful* character. 要做一個令人高興的人。

Be *dynamic* and interesting. 要有活力又有趣。
Be tactful and *diplomatic*. 做人要非常圓滑。
Have a *distinctive* personality. 要有與眾不同的個性。

These are great ways to become popular.
這些就是要受人歡迎的很棒的方法。

III. 短篇作文：

Ways to Become Popular

   History has shown us that there are ways to become
popular. *First*, you must *be daring* enough to take risks.
Show your *dazzling* smile. Be a *decent* person. Be steady
and *dependable*. Make yourself *desirable*. Be *delightful* to
be around. Be a *dynamic* person. *Of course*, be *diplomatic*
when necessary. Be a *distinctive* individual and popularity
is sure to follow.

受人歡迎的方法

歷史已經告訴我們，有一些方法能變得受人歡迎。首先，你必須膽子夠大，勇於冒險。要展現你耀眼的微笑。要做一個高尚的人。要穩定而且可靠。要使自己受人喜愛。要讓周圍的人高興。要做一個有活力的人。當然，有必要時，要有外交手腕。做一個與眾不同的人，那你就一定會受人歡迎。

IV. 填空：

Be ___1___ and adventurous, afraid of nothing. Be glamorous and ___2___. Be ___3___ and respectful to everyone who crosses your path.

Be a ___4___ friend; someone others can always count on. Have a ___5___ personality. Be a ___6___ character with interesting stories to tell.

Be ___7___ and interesting. Be tactful and ___8___. Have a ___9___ personality that stands out from the crowd.

要勇敢並且喜愛冒險，不害怕任何事。要有魅力而且耀眼。要高尚，並且遇到任何人都要很恭敬。

要做一個可靠的朋友；一個別人總是能依靠的人。要有令人喜愛的個性。要做一個令人高興的人，有有趣的故事可以說。

要有活力又有趣。做人要非常圓滑。要擁有比其他人突出的獨特個性。

【解答】 1. daring   2. dazzling   3. decent   4. dependable
5. desirable   6. delightful   7. dynamic
8. diplomatic   9. distinctive

cross one's path 偶然碰見某人   *count on* 依賴

stand out 突出   crowd〔kraʊd〕*n.* 群眾

stand out from the crowd 比其他人突出（= *stand out from others*）

V. 詞彙題：

Directions: *Choose the one word that best completes the sentence.*

1. Sometimes you must be _____ enough to take a big risk.
   (A) domestic   (B) dubious   (C) diligent   (D) daring

2. Make people feel good with your _____ smile.
   (A) dazzling   (B) drizzling   (C) dizzy   (D) drowsy

3. Be a respectable citizen and lead a _____ life.
   (A) decisive   (B) drastic   (C) decent   (D) disgraceful

4. A good friend is a _____ companion.
   (A) downward   (B) dependable   (C) desperate   (D) dumb

5. Your intelligence will be a _____ quality.
   (A) dishonest   (B) democratic   (C) diverse   (D) desirable

6. Be a _____ person and you'll never lack companionship.
   (A) descriptive   (B) disposable   (C) delightful   (D) damp

7. People are always interested in a _____ person.
   (A) dynamic   (B) dispensable   (C) dental   (D) dense

8. There are times when it's necessary to be _____ and tactful.
   (A) deadly   (B) destined   (C) disastrous   (D) diplomatic

9. Stand out from the crowd with a _____ personality.
   (A) doubtful   (B) distinctive   (C) deputy   (D) disposable

【答案】 1. (D)   2. (A)   3. (C)   4. (B)   5. (D)   6. (C)
　　　　 7. (A)   8. (D)   9. (B)

VI. 同義字整理：

1. **daring**〔'dɛrɪŋ〕 *adj.* 勇敢的
   - = brave〔brev〕
   - = bold〔bold〕
   - = valiant〔'væljənt〕

2. **dazzling**〔'dæzḷɪŋ〕 *adj.* 耀眼的
   - = splendid〔'splɛndɪd〕
   - = brilliant〔'brɪljənt〕
   - = stunning〔'stʌnɪŋ〕
   - = sparkling〔'spɑrklɪŋ〕

3. **decent**〔'disṇt〕 *adj.* 高尚的
   - = proper〔'prɑpɚ〕
   - = appropriate〔ə'proprɪɪt〕
   - = suitable〔'sutəbḷ〕
   - = respectable〔rɪ'spɛktəbḷ〕

4. **dependable**〔dɪ'pɛndəbḷ〕 *adj.* 可靠的
   - = reliable〔rɪ'laɪəbḷ〕
   - = trustworthy〔'trʌst,wɝðɪ〕
   - = trusty〔'trʌstɪ〕

5. **desirable**〔dɪ'zaɪrəbḷ〕 *adj.* 使人喜愛的
   - = attractive〔ə'træktɪv〕
   - = magnetic〔mæg'nɛtɪk〕
   - = pleasing〔'plizɪŋ〕
   - = inviting〔ɪn'vaɪtɪŋ〕

6. **delightful**〔dɪ'laɪtfəl〕 *adj.* 令人高興的
   - = amusing〔ə'mjuzɪŋ〕
   - = entertaining〔,ɛntɚ'tenɪŋ〕
   - = enjoyable〔ɪn'dʒɔɪəbḷ〕
   - = agreeable〔ə'griəbḷ〕
   - = pleasant〔'plɛzṇt〕

7. **dynamic**〔daɪ'næmɪk〕 *adj.* 充滿活力的
   - = energetic〔,ɛnɚ'dʒɛtɪk〕
   - = vigorous〔'vɪgərəs〕
   - = lively〔'laɪvlɪ〕
   - = vital〔'vaɪtḷ〕

8. **diplomatic**〔,dɪplə'mætɪk〕 *adj.* 有外交手腕的
   - = tactful〔'tæktfəl〕
   - = polite〔pə'laɪt〕
   - = considerate〔kən'sɪdərɪt〕

9. **distinctive**〔dɪ'stɪŋktɪv〕 *adj.* 與眾不同的
   - = special〔'spɛʃəl〕
   - = unique〔ju'nik〕
   - = extraordinary〔ɪk'strɔdṇ,ɛrɪ〕
   - = distinguishing〔dɪ'stɪŋgwɪʃɪŋ〕

How to Be Popular

5. E

看英文唸出中文	一口氣說九句	看中文唸出英文
embrace[5] 〔 ɪmˋbres 〕 v.	字首是 en { *Embrace*. 要欣然接受一切。	擁抱；欣然接受
entertain[4] 〔 ͵ɛntɚˋten 〕 v.	*Entertain*. 要娛樂他人。	娛樂
enthusiastic[5] 〔 ɪn͵θjuzɪˋæstɪk 〕 adj.	Be *enthusiastic*. 對人要熱心。	熱心的

exciting[2] 〔 ɪkˋsaɪtɪŋ 〕 adj.	字首都是 Ex { *Exciting*. 要令人興奮。	令人興奮的
exceptional[5] 〔 ɪkˋsɛpʃənḷ 〕 adj.	*Exceptional*. 要優異。	非凡的；優秀的
expressive[3] 〔 ɪkˋsprɛsɪv 〕 adj.	*Expressive*. 要會表達。	會表達的

earnest[4] 〔 ˋɝnɪst 〕 adj.	字首是 El { *Earnest*. 要認眞。	結尾都是 t { 認眞的
elegant[4] 〔 ˋɛləgənt 〕 adj.	*Elegant*. 要優雅。	優雅的； 高雅的
eloquent[6] 〔 ˋɛləkwənt 〕 adj.	Truly *eloquent*. 口才要很好。	口才好的

I. 背景説明：

Embrace. 可説成：*Embrace* everything.（要欣然接受一切。）*Embrace* new technology.（要欣然接受新的科技。）*Embrace* every challenge.（要欣然接受每一個挑戰。）embrace 的主要意思是「擁抱」，在此作「欣然接受」解。She *embraced* her son tenderly.（她溫柔地擁抱她的兒子。）*Entertain.* 可説成：*Entertain* your audience.（要娛樂你的觀衆。）Be good at *entertaining* people.（要擅長使別人高興。）【*be good at* 擅長】*Be enthusiastic.* 可説成：*Be* an *enthusiastic* person.（要做一個熱心的人。）*Be enthusiastic* and passionate.（要熱心又熱情。）

Exciting.（= *Be exciting.*）Be an *exciting* person to be around.（要做一個讓周圍的人興奮的人。）Do *exciting* things.（要做令人興奮的事。）*Exceptional.*（= *Be exceptional.*）可加強語氣説成：Be *exceptional* and outstanding.（要非常傑出，與衆不同。）*Expressive.*（= *Be expressive.*）可加強語氣説成：Be *expressive* and articulate.（要很會表達，而且口齒清晰。）【articulate〔ɑr'tɪkjəlɪt〕*adj.* 口齒清晰的】Be *expressive* with your words.（要很會用言語表達。）

Earnest.（= *Be earnest.*）可説成：Be sincere and *earnest.*（要眞誠又認眞。）Be an *earnest* student.（要做一個認眞的學生。）*Elegant.*（= *Be elegant.*）Be an *elegant* person.（要做一個優雅的人。）Have *elegant* manners.（要有優雅的舉止。）elegant 的同義字有：
① graceful *adj.* 優雅的② stylish *adj.* 有氣質的③ beautiful *adj.* 美麗的④ sophisticated *adj.* 懂得人情世故的。*Truly eloquent.*（= *Be truly eloquent.*）可加強語氣説成：Be *truly eloquent* and well-spoken.（口才要非常好。）【well-spoken〔ˌwɛl'spokən〕*adj.* 善於辭令的；談吐高雅的】（= *Speak very eloquently.*）Be a speaker of great *eloquence.*（要做一個口才很好的人。）【speaker〔'spikɚ〕*n.* 説話者】

II. 英語演講：

【一字英語演講】

Boys and girls,
ladies and gents:

Embrace.
Entertain.
Be enthusiastic.

Exciting.
Exceptional.
Expressive.

Earnest.
Elegant.
Truly eloquent.

This is how to
achieve popularity.

【短篇英語演講】

Boys and girls, ladies and gents:
各位男孩和女孩，各位先生和女士：

Embrace every challenge.
要欣然接受每一個挑戰。
Be good at *entertaining* people. 要擅長娛樂別人。
Be enthusiastic and passionate. 要熱心而且熱情。

Do *exciting* things. 要做令人興奮的事。
Be an *exceptional* person. 要做一個優異的人。
Be *expressive* with your words.
要擅長用言語表達。

Be *earnest* and well-meaning. 要認真而且好心。
Have *elegant* manners. 要有優雅的舉止。
Be *truly eloquent* and well-spoken.
口才要非常好。

This is how to achieve popularity.
這就是如何受人歡迎的方法。

III. 短篇作文：

How to Achieve Popularity

If you want to achieve popularity, *first*, you must *embrace* every challenge. *Meanwhile*, *entertain* your audience. *Be* an *enthusiastic* person. Be an *exciting* person to be around. Be *exceptional* and outstanding. *Likewise*, be *expressive* and articulate. Be sincere and *earnest*. Be an *elegant* person. Speak *eloquently*, and you will achieve the goal.

如何受人歡迎

　　如果你想要受人歡迎，首先，你必須欣然接受每一個挑戰。同時，要娛樂你的觀眾。要做一個熱心的人。要使周圍的人興奮。要優異又傑出。同樣地，要很會表達而且口齒清晰。要真誠而且認真。要做一個優雅的人。說話口才要好，這樣你就能達成目標。

* achieve〔ə'tʃiv〕*v.* 達成；獲得　　popularity〔ˌpɑpjə'lærətɪ〕*n.* 受歡迎
as well 也（= *too*）　　meanwhile〔'min,hwaɪl〕*adv.* 同時
likewise〔'laɪk,waɪz〕*adv.* 同樣地

IV. 填空：

　　A good leader ___1___ every challenge. Be good at ___2___ people. Popular people are always ___3___ and passionate.

　　Be an ___4___ person to be around. Be ___5___ and outstanding in order to get noticed by the important people. Likewise, be ___6___ and articulate.

　　Be ___7___ and well-meaning, always looking to do the right thing. Have ___8___ manners. Be truly ___9___ and well-spoken.

　　好的領導者會欣然接受每一個挑戰。要擅長娛樂別人。受歡迎的人總是既熱心又熱情。

　　要做一個能讓周圍的人興奮的人。要很優異又傑出，以獲得重要人物的注意。同樣地，要很會表達而且口齒清晰。

　　要認真而且好心，總是希望能做正確的事。要有優雅的舉止。口才要非常好。

【解答】 1. embraces　2. entertaining　3. enthusiastic
　　　　 4. exciting　5. exceptional　6. expressive
　　　　 7. earnest　8. elegant　9. eloquent
　　* well-meaning〔'wɛl'minɪŋ〕*adj.* 好心的
　　look to V. 盼望…；期待…

V. 詞彙題：

Directions: *Choose the one word that best completes the sentence.*

1. _____ new technology and spread your message.
   (A) Enforce   (B) Equate   (C) Enlarge   (D) Embrace

2. Keep the audience _____ and popularity is guaranteed.
   (A) enacted   (B) entertained   (C) endured   (D) entitled

3. Popular people are _____ about life.
   (A) enthusiastic   (B) essential   (C) evident   (D) envious

4. Be that _____ person who everybody wants to be around.
   (A) edible   (B) equal   (C) exciting   (D) eccentric

5. Word will spread about your _____ talent.
   (A) exceptional   (B) emotional   (C) eastern   (D) eager

6. Attract admirers with your _____ speaking ability.
   (A) ethical   (B) economical   (C) eventual   (D) expressive

7. Be _____ in work and relationships.
   (A) economic   (B) epidemic   (C) earnest   (D) enormous

8. They will be impressed by your _____ manners.
   (A) elegant   (B) elder   (C) eligible   (D) equivalent

9. People love to listen to an _____ speaker.
   (A) excessive   (B) eloquent   (C) evergreen   (D) entire

【答案】 1.(D)   2.(B)   3.(A)   4.(C)   5.(A)   6.(D)
　　　　 7.(C)   8.(A)   9.(B)

VI. 同義字整理：

1. **embrace** 〔 ɪm'bres 〕 *v.* 擁抱；
   欣然接受
   - = accept 〔 ək'sɛpt 〕
   - = welcome 〔 'wɛlkəm 〕
   - = support 〔 sə'port 〕
   - = take up

2. **entertain** 〔 ,ɛntə'ten 〕 *v.* 娛樂
   - = amuse 〔 ə'mjuz 〕
   - = delight 〔 dɪ'laɪt 〕
   - = please 〔 pliz 〕

3. **enthusiastic** 〔 ɪn,θjuzɪ'æstɪk 〕
   adj. 熱心的
   - = keen 〔 kin 〕
   - = eager 〔 'igə 〕
   - = warm 〔 wɔrm 〕
   - = passionate 〔 'pæʃənɪt 〕
   - = devoted 〔 dɪ'votɪd 〕

4. **exciting** 〔 ɪk'saɪtɪŋ 〕 *adj.* 令人
   興奮的
   - = inspiring 〔 ɪn'spaɪrɪŋ 〕
   - = thrilling 〔 'θrɪlɪŋ 〕
   - = stimulating 〔 'stɪmjə,letɪŋ 〕

5. **exceptional** 〔 ɪk'sɛpʃənḷ 〕
   adj. 非凡的；優秀的
   - = notable 〔 'notəbḷ 〕
   - = remarkable 〔 rɪ'mɑrkəbḷ 〕
   - = outstanding 〔 'aʊt'stændɪŋ 〕

6. **expressive** 〔 ɪk'sprɛsɪv 〕 *v.*
   會表達的
   - = eloquent 〔 'ɛləkwənt 〕
   - = vivid 〔 'vɪvɪd 〕
   - = striking 〔 'straɪkɪŋ 〕
   - = meaningful 〔 'minɪŋfəl 〕

7. **earnest** 〔 'ɝnɪst 〕 *adj.* 認真的
   - = serious 〔 'sɪrɪəs 〕
   - = sincere 〔 sɪn'sɪr 〕
   - = dedicated 〔 'dɛdə,ketɪd 〕
   - = determined 〔 dɪ'tɝmɪnd 〕

8. **elegant** 〔 'ɛləgənt 〕 *adj.* 優雅的；
   高雅的
   - = stylish 〔 'staɪlɪʃ 〕
   - = delicate 〔 'dɛləkɪt 〕
   - = sophisticated 〔 sə'fɪstɪ,ketɪd 〕

9. **eloquent** 〔 'ɛləkwənt 〕 *adj.*
   口才好的
   - = articulate 〔 ɑr'tɪkjəlɪt 〕
   - = persuasive 〔 pə'swesɪv 〕
   - = expressive 〔 ɪk'sprɛsɪv 〕

How to Be Popular

6. F

看英文唸出中文	一口氣説九句	看中文唸出英文

fair²
〔 fɛr 〕 *adj.*
faithful⁴
〔'feθfəl 〕 *adj.*
fantastic⁴
〔 fæn'tæstɪk 〕 *adj.*

Be *fair*.
要公平。
Faithful.
要忠實。
Fantastic.
要做一個很好的人。

字首都是 fa
字首是 fai

公平的

忠實的

極好的

---

fascinating⁵
〔'fæsn͵etɪŋ 〕 *adj.*
fashionable³
〔'fæʃənəbļ 〕 *adj.*
fabulous⁶
〔'fæbjələs 〕 *adj.*

Fascinating.
要吸引人。
Fashionable.
要跟得上潮流。
Fabulous.
要很了不起。

字首都是 Fa
字首是 Fas

迷人的

流行的

極好的

---

frank²
〔 fræŋk 〕 *adj.*
friendly²
〔'frɛndlɪ 〕 *adj.*
funny¹
〔'fʌnɪ 〕 *adj.*

Frank.
要坦白。
Friendly.
要友善。
Funny.
要風趣。

字首是 Fr
字尾是 y

坦白的

友善的

好笑的

I. 背景説明：

Be fair. 可加強語氣説成：***Be fair*** and just.（要非常公正。）
Be fair and honest.（要公平又誠實。）*Faithful.*（= *Be faithful.*）
Be a ***faithful*** friend.（要做一個忠實的朋友。）Be loyal and
faithful to the end.（要永遠忠實。）（= *Be loyal and faithful
forever.*）*Fantastic.*（= *Be fantastic.*）可説成：Be a ***fantastic***
person.（要做一個很好的人。）fantastic 的相反詞是 common（一
般的），所以，Be ***fantastic***. 是指「要做一個了不起的人。」Have a
fantastic sense of humor.（要有很棒的幽默感。）Be ***fantastic*** at
whatever you do.（做什麼事都要做得非常好。）

Fascinating.（= *Be fascinating.*）Be ***fascinating*** to watch.
（要看起來很吸引人。）Be a ***fascinating*** character.（要做一個有
吸引力的人。）*Fashionable.*（= *Be fashionable.*）fashionable 的
意思有：①時髦的（= *modern*）②流行的（= *trendy*）③跟得上潮流
的（= *up-to-date*）。Dress in ***fashionable*** clothing.（要穿時髦的
衣服。）Be ***fashionable*** and trendy.（要趕得上潮流和趨勢。）
【trendy〔ˈtrɛndɪ〕*adj.* 最時髦的】*Fabulous.*（= *Be fabulous.*）Have
a ***fabulous*** character.（要有很好的個性。）Be a ***fabulous*** person.
（要做一個了不起的人。）

Frank.（= *Be frank.*）Be ***frank*** and honest with people.（對
人要非常坦白。）Be straightforward and ***frank***.（要坦坦白白，有
話直說。）*Friendly.*（= *Be friendly.*）Be a ***friendly*** person.（要做
一個友善的人。）Be warm and ***friendly***.（要熱心又友善。）*Funny.*
（= *Be funny.*）Be ***funny*** and charming.（要風趣又迷人。）Tell
funny jokes.（要說好笑的笑話。）

II. 英語演講：

【一字英語演講】	【短篇英語演講】
Dear friends and associates:	*Dear friends and associates:* 親愛的朋友和同事：
	Be fair and honest. 要公平而且誠實。
Be fair.	Be a *faithful* friend. 要做一個忠實的朋友。
Faithful.	Be *fantastic* at whatever you do.
Fantastic.	做什麼事都要做得很好。
Fascinating.	Be a *fascinating* character.
Fashionable.	要做一個很有吸引力的人。
Fabulous.	Dress in *fashionable* clothing. 要穿時髦的衣服。
	Be *fabulous* and colorful. 要很棒而且引人注目。
Frank.	Be straightforward and *frank*. 要坦坦白白，有話直說。
Friendly.	Be a *friendly* person. 要做一個友善的人。
Funny.	Tell *funny* jokes. 要說好笑的笑話。
Get ready to be popular now!	*Get ready to be popular now!*
	現在就準備好受人歡迎吧！

III. 短篇作文：

Be Popular Now

If you want to be popular now, there are some ways to go about it. *First*, *be fair* and just. Be loyal and *faithful* to the end. Have a *fantastic* sense of humor. *Next*, be *fascinating* to watch so that people can't take their eyes off of you. Be *fashionable* and trendy. Have a *fabulous* character. *Finally*, be *frank* and honest with people. Be warm and *friendly*. Be *funny* and charming.

立刻就受人歡迎

如果你想要立刻就受人歡迎，有一些方法可以讓你開始進行。首先，要非常公正。要永遠忠實。要有很棒的幽默感。其次，要看起來很迷人，如此人們的視線就會離不開你。要趕得上潮流和趨勢。要有很好的個性。最後，對人要非常坦白。要既熱情又友善。要風趣而且迷人。

go about 開始；著手處理

take one's *eyes off* 使眼睛離開；不看

IV. 填空：

Be ___1___ and honest. Be a ___2___ friend and you'll never be alone. Be ___3___ at whatever you do.

Be a ___4___ character who people love to watch. Dress in ___5___ clothing to attract attention. Be ___6___ and colorful.

Be straightforward and ___7___ with people. Be a ___8___ person. Be ___9___ and charming, and popularity will be yours.

要公平而且誠實。要做一個忠實的朋友，那樣你就絕對不會孤單。做什麼事都要做得很好。

要做一個大家都很喜歡看，很有吸引力的人。要穿時髦的衣服，吸引人們注意。要很棒而且引人注意。

對人要坦坦白白，有話直說。要做一個友善的人。要風趣而且迷人，那樣你就會受人歡迎。

【解答】 1. fair　2. faithful　3. fantastic　4. fascinating
5. fashionable　6. fabulous　7. frank　8. friendly
9. funny

V. 詞彙題：

Directions: *Choose the one word that best completes the sentence.*

1. All's _____ in love and war.
   (A) favorable   (B) fair   (C) formal   (D) famous

2. Be loyal and _____ to the end.
   (A) faithful   (B) familiar   (C) fundamental   (D) feminine

3. Nothing is more popular than a _____ sense of humor.
   (A) fearful   (B) forthcoming   (C) fantastic   (D) facial

4. Everybody loves meeting a _____ character.
   (A) feeble   (B) finite   (C) farther   (D) fascinating

5. Stick out from the crowd in _____ clothing.
   (A) fierce   (B) fertile   (C) fashionable   (D) fragile

6. To attract attention, be _____ and colorful.
   (A) fabulous   (B) financial   (C) frequent   (D) fatal

7. It's easy to deal with a person who is straightforward and
   _____.
   (A) furious   (B) frank   (C) foggy   (D) foul

8. A warm and _____ personality will win many friends.
   (A) fake   (B) foolish   (C) fluent   (D) friendly

9. Being _____ is one of the most common traits of popular
   people.
   (A) funny   (B) foreign   (C) federal   (D) further

【答案】 1. (B)   2. (A)   3. (C)   4. (D)   5. (C)   6. (A)
　　　　 7. (B)   8. (D)   9. (A)

VI. 同義字整理：

1. **fair** 〔 fɛr 〕 *adj.* 公平的

   = just 〔 dʒʌst 〕
   = impartial 〔 ɪmˈparʃəl 〕
   = unbiased 〔 ʌnˈbaɪəst 〕

2. **faithful** 〔ˈfeθfəl 〕 *adj.* 忠實的

   = truthful 〔ˈtruθfəl 〕
   = loyal 〔ˈlɔɪəl 〕
   = trusty 〔ˈtrʌstɪ 〕

3. **fantastic** 〔 fænˈtæstɪk 〕 *adj.* 極好的

   = great 〔 gret 〕
   = terrific 〔 təˈrɪfɪk 〕
   = wonderful 〔ˈwʌndəfəl 〕
   = marvelous 〔ˈmarvḷəs 〕

4. **fascinating** 〔ˈfæsṇˌetɪŋ 〕 *adj.* 迷人的；很棒的

   = attractive 〔 əˈtræktɪv 〕
   = captivating 〔ˈkæptəˌvetɪŋ 〕
   = glamorous 〔ˈglæmərəs 〕
   = irresistible 〔ˌɪrɪˈzɪstəbḷ 〕

5. **fashionable** 〔ˈfæʃənəbḷ 〕 *adj.* 流行的；時髦的

   = trendy 〔ˈtrɛndɪ 〕
   = stylish 〔ˈstaɪlɪʃ 〕
   = modern 〔ˈmadən 〕

6. **fabulous** 〔ˈfæbjələs 〕 *adj.* 極好的

   = wonderful 〔ˈwʌndəfəl 〕
   = fantastic 〔 fænˈtæstɪk 〕
   = amazing 〔 əˈmezɪŋ 〕
   = remarkable 〔 rɪˈmarkəbḷ 〕

7. **frank** 〔 fræŋk 〕 *adj.* 坦白的

   = honest 〔ˈanɪst 〕
   = truthful 〔ˈtruθfəl 〕
   = straightforward 〔ˌstretˈfɔrwəd 〕

   = blunt 〔 blʌnt 〕
   = outspoken 〔ˌautˈspokən 〕

8. **friendly** 〔ˈfrɛndlɪ 〕 *adj.* 友善的

   = kind 〔 kaɪnd 〕
   = warm 〔 wɔrm 〕
   = amiable 〔ˈemɪəbḷ 〕
   = welcoming 〔ˈwɛlkəmɪŋ 〕

9. **funny** 〔ˈfʌnɪ 〕 *adj.* 好笑的

   = amusing 〔 əˈmjuzɪŋ 〕
   = entertaining 〔ˌɛntəˈtenɪŋ 〕
   = humorous 〔ˈhjumərəs 〕

How to Be Popular

7. G

看英文唸出中文	一 口 氣 説 九 句	看中文唸出英文

gentle²
〔ˊdʒɛntl̩ 〕 *adj.*

genuine⁴
〔ˊdʒɛnjʊɪn 〕 *adj.*

generous²
〔ˊdʒɛnərəs 〕 *adj.*

字首都是 gen

Be *gentle*.
要溫和。

Genuine.
要眞誠。

Very *generous*.
要非常慷慨。

字尾是 ous

溫和的

眞正的

慷慨的

---

gracious⁴
〔ˊgreʃəs 〕 *adj.*

graceful⁴
〔ˊgresfəl 〕 *adj.*

grateful⁴
〔ˊgretfəl 〕 *adj.*

字首是 Grac

Gracious.
要親切。

Graceful.
要優雅。

Extremely *grateful*.
要非常感激。

字尾是 ful

親切的；有禮貌的

優雅的

感激的

---

glad¹
〔 glæd 〕 *adj.*

glamorous⁶
〔ˊglæmərəs 〕 *adj.*

gorgeous⁵
〔ˊgɔrdʒəs 〕 *adj.*

字首是 Gla

Glad.
要高高興興。

Glamorous.
要有魅力。

Gorgeous.
要非常漂亮。

字尾是 ous

高興的

有魅力的

非常漂亮的

I. 背景説明：

Be gentle. 可説成：***Be a gentle* soul.**（要做一個溫和的人。）***Be gentle* and kind.**（要溫和又親切。）*Genuine*.（= *Be genuine*.）Be ***genuine* and real.**（要非常眞誠。）Be authentic and ***genuine*.**（要非常眞誠，不要虛假。）*Very generous*.（= *Be very generous*.）Be ***very generous* with your time.**（要非常慷慨地付出時間。）Be ***very generous* with your money.**（花錢要非常慷慨。）

Gracious.（= *Be gracious*.）Be a ***gracious* host.**（要做一個親切的主人。）Have a ***gracious* smile.**（要有親切的微笑。）Be a ***gracious* winner.**（贏了要有禮貌。）（= *Be a polite winner*.）Be ***gracious* if you lose the game.**（如果你比賽輸了，要有風度。）英文一字多義，有時字典上查不到，必須由上下文來判斷。像 gracious 的意思在字典上有：①親切的②仁慈的③好心的④同情的。在 Collins English Thesaurus 中，gracious 的同義字才有：polite, courteous，作「有禮貌的」解。*Graceful*.（= *Be graceful*.）Be ***graceful* and relaxed.**（要優雅又輕鬆。）Be elegant and ***graceful*.**（要非常優雅。）兩個同義字放在一起，有加強語氣的作用。graceful（優雅的）不要和 gracious（親切的）搞混。*Extremely grateful*.（= *Be very grateful*.）Be ***extremely grateful* for everything.**（對每件事都要非常感激。）Appreciate life and be ***extremely grateful* for it.**（要重視生命，並非常感激。）

爲了避免和前面重複，我們用 *Extremely grateful*. 還可用 So *grateful*.（要非常感激。）Sincerely *grateful*.（要真的很感激。）（＝*Honestly grateful*.）Exceedingly *grateful*.（要非常感激。）

Glad.（＝*Be glad*.）Be *glad* to be alive.（活著就要高興。）Be *glad* for what you have.（要對你所擁有的感到高興。）*Glamorous*.（＝*Be glamorous*.）Have a *glamorous* look.（外表要有魅力。）【look〔luk〕*n.* 外表】Be *glamorous* and attractive.（要非常有魅力。）glamorous 可寫成 glamourous，但 glamorous 較常用。它的名詞是 glamour（＝*glamor*）「魅力」。*Gorgeous*.（＝*Be gorgeous*.）Be *gorgeous* and energetic.（要非常漂亮而且充滿活力。）It takes work to be *gorgeous*.（漂亮是需要努力的。）

Students, parents, and teachers:

Be gentle.
Genuine.
Very generous.

Gracious.
Graceful.
Extremely grateful.

Glad.
Glamorous.
Gorgeous.

These are the keys to popularity.

II. 短篇英語演講：

Students, parents, and teachers:
各位同學、家長，和老師：

Be a *gentle* soul.　要做一個溫和的人。
Be authentic and *genuine*.　要非常真誠，不要虛假。
Be *very generous* with your money.　花錢要非常慷慨。

Be a *gracious* winner.　贏了要有禮貌。
Be *graceful* and relaxed.　要優雅又輕鬆。
Appreciate life and be *extremely grateful* for it.
要重視生命，並且非常感激。

Be *glad* for what you have.　要對你所擁有的感到高興。
Have a *glamorous* look.　外表要有魅力。
Be *gorgeous* and energetic.　要非常漂亮而且充滿活力。

These are the keys to popularity.
這些就是受人歡迎的關鍵。

III. 短篇作文：

The Keys to Popularity

The keys to popularity are accessible to everybody. *To start with*, *be gentle* and kind. Be *genuine* and real. Be *very generous* with your time. *Moreover*, be *gracious* if you lose the game. Be elegant and *graceful*. Be *extremely grateful* for everything. Be *glad* to be alive. Be *glamorous* and sleek. *However*, remember that it takes work to be *gorgeous*.

受人歡迎的關鍵

每個人都能掌握受人歡迎的關鍵。首先,要溫和又親切。要非常眞誠。要非常慷慨地付出時間。此外,如果你比賽輸了,要有風度。要非常優雅。對每件事都要非常感激。活著就要高興。要有魅力又時髦。然而,要記得,漂亮是需要努力的。

* work〔wɜk〕*n.* 努力

IV. 填空:

Be a ___1___ soul who wouldn't hurt a fly. Be an authentic and ___2___ person. Be very ___3___ with your money.

Be a ___4___ winner, never boasting or bragging of your achievements. You should be ___5___ and relaxed. Appreciate life and be extremely ___6___ for it.

Consider that other people aren't as lucky and be ___7___ for what you have. Have a ___8___ look. Be ___9___ and energetic.

要做一個非常溫和的人。要做一個非常眞誠的人,不要虛假。花錢要非常慷慨。

贏了要有禮貌,絕不要吹噓自己的成就。你應該要優雅又輕鬆。要重視生命,並且非常感激。

要想到其他人沒那麼幸運,所以要對你所擁有的感到高興。外表要有魅力。要非常漂亮,而且充滿活力。

【解答】 1. gentle   2. genuine   3. generous   4. gracious
   5. graceful   6. grateful   7. glad   8. glamorous
   9. gorgeous

* fly〔flaɪ〕*n.* 蒼蠅   *would not hurt a fly*（看起來令人害怕的人或動物,其實）很溫和   boast〔bost〕*v.* 自誇
brag〔bræg〕*v.* 吹噓   achievements〔əˈtʃivmənts〕*n. pl.* 成就
consider〔kənˈsɪdə〕*v.* 考慮到
energetic〔ˌɛnəˈdʒɛtɪk〕*adj.* 充滿活力的

V. 詞彙題：

Directions: *Choose the one word that best completes the sentence.*

1. The most well-liked people are _____ and kind.
   (A) geographical　(B) gigantic　(C) graphic　(D) gentle

2. The audience will know if you are _____ or not.
   (A) golden　(B) genuine　(C) genetic　(D) grassy

3. A _____ person will be surrounded by friends.
   (A) greedy　(B) generous　(C) greasy　(D) gray

4. Win or lose, be _____ and polite.
   (A) gracious　(B) guilty　(C) gross　(D) growling

5. They will be in awe of your _____ mannerisms.
   (A) gradual　(B) giant　(C) graceful　(D) general

6. Appreciate life and be extremely _____ for it.
   (A) grand　(B) glorious　(C) grateful　(D) gloomy

7. Be _____ for what you have.
   (A) glad　(B) great　(C) grave　(D) gifted

8. Seek attention with your _____ look.
   (A) grinding　(B) grammatical　(C) green　(D) glamorous

9. But remember, it takes work to be _____.
   (A) grasping　(B) ghostly　(C) gorgeous　(D) grim

【答案】1.（D）　2.（B）　3.（B）　4.（A）　5.（C）　6.（C）
　　　　7.（A）　8.（D）　9.（C）

VI. 同義字整理：

1. **gentle**〔ˈdʒɛntḷ〕*adj.* 溫和的
   - = mild〔maɪld〕
   - = amiable〔ˈemɪəbḷ〕
   - = moderate〔ˈmɑdərɪt〕

2. **genuine**〔ˈdʒɛnjuɪn〕*adj.* 眞正的
   - = authentic〔ɔˈθɛntɪk〕
   - = original〔əˈrɪdʒənḷ〕
   - = real〔ˈrɪəl〕
   - = true〔tru〕

3. **generous**〔ˈdʒɛnərəs〕*adj.* 慷慨的
   - = liberal〔ˈlɪbərəl〕
   - = charitable〔ˈtʃærətəbḷ〕
   - = hospitable〔ˈhɑspɪtəbḷ〕
   - = kind〔kaɪnd〕

4. **gracious**〔ˈgreʃəs〕*adj.* 親切的；
   有禮貌的
   - = courteous〔ˈkɜtɪəs〕
   - = polite〔pəˈlaɪt〕
   - = civil〔ˈsɪvḷ〕
   - = obliging〔əˈblaɪdʒɪŋ〕

5. **graceful**〔ˈgresfəl〕*adj.* 優雅的
   - = elegant〔ˈɛləgənt〕
   - = courteous〔ˈkɜtɪəs〕
   - = civil〔ˈsɪvḷ〕
   - = well-mannered〔ˈwɛlˈmænəd〕

6. **grateful**〔ˈgretfəl〕*adj.*
   感激的
   - = thankful〔ˈθæŋkfəl〕
   - = appreciative
     〔əˈpriʃɪˌetɪv〕
   - = obliged〔əˈblaɪdʒd〕
   - = indebted〔ɪnˈdɛtɪd〕

7. **glad**〔glæd〕*adj.* 高興的
   - = joyful〔ˈdʒɔɪfəl〕
   - = cheerful〔ˈtʃɪrfəl〕
   - = pleased〔plizd〕

   - = delighted〔dɪˈlaɪtɪd〕
   - = happy〔ˈhæpɪ〕

8. **glamorous**〔ˈglæmərəs〕
   adj. 有魅力的
   - = enchanting〔ɪnˈtʃæntɪŋ〕
   - = fascinating〔ˈfæsṇˌetɪŋ〕
   - = attractive〔əˈtræktɪv〕

9. **gorgeous**〔ˈgɔrdʒəs〕*adj.*
   非常漂亮的
   - = stunning〔ˈstʌnɪŋ〕
   - = good-looking
     〔ˈgʊdˈlʊkɪŋ〕
   - = pretty〔ˈprɪtɪ〕
   - = beautiful〔ˈbjutəfəl〕

How to Be Popular

8. H

看英文唸出中文	一口氣說九句	看中文唸出英文

honest²
('ɑnɪst) adj.

字首都是 hon

Be *honest* and fair.
要誠實又公平。

誠實的

honorable⁴
('ɑnərəbḷ) adj.

***Honorable* and just.**
要值得敬佩又公正。

字尾是 able

值得敬佩的

hospitable⁶
('hɑspɪtəbḷ) adj.

***Hospitable* and friendly.** 要好客又友善。

好客的

---

humble²
('hʌmbḷ) adj.

字首是 Hum

***Humble* and kind.**
要謙虛又親切。

謙虛的

humorous³
('hjumərəs) adj.

***Humorous* and smart.**
要幽默又聰明。

幽默的

handy³
('hændɪ) adj.

***Handy* and useful.**
要非常有用。

有用的；
便利的

---

helpful²
('hɛlpfəl) adj.

字首是 He

***Helpful* and courteous.**
要樂於助人又有禮貌。

有幫助的

heroic⁵
(hɪ'ro·ɪk) adj.

***Heroic* and brave.**
要非常英勇。

英勇的

harmony⁴
('hɑrmənɪ) n.

Promote *harmony* and cooperation.
要促進和諧與合作。

和諧

I. 背景説明：

　　為了避免和「成功勵志經」單字重複，我們把一字一句變長，變成兩字一句，反而更好背。以前一次背9個，現在一次背18個單字。

　　Be honest and fair. (= *Be an honest and fair person.*)
Have an *honest and fair* outlook. (要有誠實並且公平的看法。) *Honorable and just.* 在此指 Be *honorable* and just.
(= *Be an honorable and just person.*) Try to be *honorable and just.* (一定要值得敬佩又公正。) *Hospitable and friendly.* 在此指 Be *hospitable and friendly.* 可説成：Have a *hospitable and friendly* attitude. (要有好客和友善的態度。) Always be *hospitable and friendly.* (永遠要好客和友善。)

　　Humble and kind. 在此指 Be *humble and kind.* (= *Be a humble and kind person.*) Have a *humble and kind* attitude. (要有謙虛又親切的態度。) 把 humble 和 kind 放在一起，是因為謙虛的人往往很親切。*Humorous and smart.* 在此指 Be *humorous and smart.* 把 humorous 和 smart 放在一起，因為要聰明、反應快，才會幽默。Be a *humorous and smart* character. (要做一個幽默又聰明的人。) Try to be *humorous and smart.* (要儘量幽默又聰明。) *Handy and useful.* 在此指 Be *handy and useful.* (= *Be a handy and useful person.*) Learn to be *handy and useful.* (要學習做一個非常有用的人。)

Helpful and courteous. 在此指 Be *helpful and courteous.*
(= *Be helpful and polite.*) 把 helpful 和 courteous 放在一起，
是因爲幫助別人時，不要忘記，一定要有禮貌。Have a *helpful
and courteous* attitude. (要有樂於助人又有禮貌的態度。) Be a
helpful and courteous individual. (要做一個樂於助人又有禮貌
的人。) *Heroic and brave.* 在此指 Be *heroic and brave.* 可說
成：Have a *heroic and brave* character. (要有非常英勇的個
性。) Be *heroic and brave* at all times. (永遠都要非常有勇
氣。)(= *Be heroic and brave all the time.*) *Promote harmony
and cooperation.* 可說成：*Promote harmony and cooperation*
among your friends. (要促進朋友之間的和諧與合作。)

II. 英語演講：

【一字英語演講】

Dear friends: 親愛的朋友：

Be honest and fair. 要誠實又公平。
Honorable and just. 要令人敬佩又公正。
Hospitable and friendly. 要好客又友善。

Humble and kind. 要謙虛又親切。
Humorous and smart. 要幽默又聰明。
Handy and useful. 要非常有用。

Helpful and courteous. 要樂於助人又有禮貌。
Heroic and brave. 要非常英勇。
Promote harmony and cooperation. 要促進和諧與合作。

This is the way to popularity. 這就是受人歡迎的方法。

【短篇英語演講】

Dear friends: 親愛的朋友：

Have an *honest and fair* outlook. 要有誠實又公平的看法。
Try to be *honorable and just.* 要值得敬佩又公正。
Always be *hospitable and friendly.* 要總是好客又友善。

Be a *humble and kind* person. 要做一個謙虛又親切的人。
Be a *humorous and smart* character. 要做一個幽默又聰明的人。
Learn to be *handy and useful.* 要學習成爲非常有用的人。

Have a *helpful and courteous* attitude.
要有樂於助人又有禮貌的態度。
Be *heroic and brave* at all times. 要總是很英勇。
Promote harmony and cooperation among your friends.
要促進朋友之間的和諧與合作。

This is the way to popularity. 這就是受人歡迎的方法。

Ⅲ. 短篇作文：

The Way to Popularity

A lot of people get lost in their quest to be popular. *However*, there is a very simple way to popularity. *Be honest and fair* with others. Be an *honorable and just* person. Be *hospitable and friendly*. *Moreover*, be very *humble and kind* to others. Be *humorous and smart*. Be a *handy and useful* person. Do your best to be *helpful and courteous*. Be a *heroic and brave* person. *Above all*, *promote harmony and cooperation* among the group. Follow these instructions, and you will become popular.

受人歡迎的方法

很多人在追求受人歡迎時，迷失了方向。然而，想要受人歡迎，方法非常簡單。要對別人誠實又公平。要做一個值得敬佩又公正的人。要好客又友善。此外，對別人要非常謙虛又親切。要幽默又聰明。要做一個非常有用的人。要盡力幫助別人而且有禮貌。要做一個非常英勇的人。最重要的是，在團體中要促進和諧與合作。如果能遵照這些指示，你就會受人歡迎。

* quest〔kwɛst〕*n.* 追求　　instructions〔ɪnˋstrʌkʃənz〕*n. pl.* 指示；說明

IV. 填空：

The way to popularity starts with being ___1___ with yourself.
Do the ___2___ and just thing. Have a ___3___ and friendly attitude.

Being ___4___ about your success makes you likable. It
also helps to be ___5___ and entertaining. Be a ___6___ and useful
person to have around.

Do your best to be ___7___ and courteous. Do ___8___ and
brave deeds. Above all, promote ___9___ and cooperation among
the group.

要受人歡迎，首先就是要對自己誠實。要做值得敬佩而且公正的事。要有好客又友善的態度。

對於自己的成功謙虛，會使你討人喜歡。幽默又有趣也會有幫助。要做一個對周圍的人非常有用的人。

要盡力幫助別人並且有禮貌。要做非常英勇的事。最重要的是，在團體中要促進和諧與合作。

【解答】 1. honest　2. honorable　3. hospitable　4. humble
　　　　　5. humorous　6. handy　7. helpful　8. heroic
　　　　　9. harmony

* likeable〔ˋlaɪkəbḷ〕*adj.* 討人喜歡的　　deed〔did〕*n.* 行為

V. 詞彙題：

Directions: *Choose the one word that best completes the sentence.*

1. You'll get nowhere in life without being _____ and fair.
   (A) hollow　(B) historic　(C) honest　(D) handicapped

2. Be the one who always does the _____ and just thing.
   (A) hardy　(B) horizontal　(C) honorable　(D) homesick

3. Have a deeply _____ and friendly attitude.
   (A) hoarse　(B) horrible　(C) habitual　(D) hospitable

4. If you're popular already, be _____ and kind to your fans.
   (A) healthful　(B) hasty　(C) holy　(D) humble

5. You'll make friends with a _____ and smart personality.
   (A) humorous　(B) hungry　(C) honorary　(D) harsh

6. Be _____ and useful to have around.
   (A) hesitant　(B) handy　(C) hysterical　(D) harmful

7. Do your best to be particularly _____ and courteous.
   (A) historical　(B) helpful　(C) humid　(D) heavenly

8. Don't miss the chance to be a _____ and brave character.
   (A) heroic　(B) hostile　(C) hateful　(D) hourly

9. Encourage _____ and cooperation among the group.
   (A) hurdle　(B) hedge　(C) harassment　(D) harmony

【答案】1.（C）　2.（C）　3.（D）　4.（D）　5.（A）　6.（B）
　　　　7.（B）　8.（A）　9.（D）

VI. 同義字整理：

1. **honest** (ˋɑnɪst) *adj.* 誠實的
   - = upright (ˋʌpˌraɪt)
   - = sincere (sɪnˋsɪr)
   - = truthful (ˋtruθfəl)
   - = conscientious (ˌkɑnʃɪˋɛnʃəs)

2. **honorable** (ˋɑnərəb!) *adj.*
   光榮的；值得敬佩的
   - = admirable (ˋædmərəb!)
   - = respectable (rɪˋspɛktəb!)
   - = upright (ˋʌpˌraɪt)

3. **hospitable** (ˋhɑspɪtəb!) *adj.*
   好客的
   - = friendly (ˋfrɛndlɪ)
   - = cordial (ˋkɔrdʒəl)
   - = welcoming (ˋwɛlkəmɪŋ)

4. **humble** (ˋhʌmb!) *adj.* 謙虛的
   - = modest (ˋmɑdɪst)
   - = unassuming (ˌʌnəˋsumɪŋ)
   - = unpretentious (ˌʌnprɪˋtɛnʃəs)

5. **humorous** (ˋhjumərəs) *adj.*
   幽默的
   - = amusing (əˋmjuzɪŋ)
   - = entertaining (ˌɛntɚˋtenɪŋ)
   - = witty (ˋwɪtɪ)
   - = funny (ˋfʌnɪ)

6. **handy** (ˋhændɪ) *adj.* 便利
   的；有用的
   - = useful (ˋjusfəl)
   - = helpful (ˋhɛlpfəl)
   - = practical (ˋpræktɪk!)

7. **helpful** (ˋhɛlpfəl) *adj.* 有幫
   助的
   - = useful (ˋjusfəl)
   - = supportive (səˋportɪv)
   - = beneficial (ˌbɛnəˋfɪʃəl)
   - = constructive
     (kənˋstrʌktɪv)

8. **heroic** (hɪˋro‧ɪk) *adj.* 英勇的
   - = brave (brev)
   - = daring (ˋdɛrɪŋ)
   - = bold (bold)
   - = valiant (ˋvæljənt)
   - = courageous (kəˋredʒəs)

9. **harmony** (ˋhɑrmənɪ) *n.*
   和諧
   - = peace (pis)
   - = order (ˋɔrdɚ)
   - = unity (ˋjunətɪ)
   - = balance (ˋbæləns)

How to Be Popular

9.I

看英文唸出中文	一口氣說九句	看中文唸出英文
impressive³ 〔ɪm'prɛsɪv〕*adj.*	字首是 im { Be quite ***impressive***. 要令人印象相當深刻。	令人印象深刻的
imaginative⁴ 〔ɪ'mædʒə͵netɪv〕*adj.*	***Imaginative***. 要有想像力。 字尾是 ive	有想像力的
informative⁴ 〔ɪn'fɔrmətɪv〕*adj.*	字首是 In ***Informative***. 要能提供知識。	提供知識的
innovative⁶ 〔'ɪnə͵vetɪv〕*adj.*	***Innovative***. 要創新。	創新的
infectious⁶ 〔ɪn'fɛkʃəs〕*adj.*	字首是 Inf { ***Infectious***. 要有感染力。	傳染性的；有感染力的
influential⁴ 〔͵ɪnflʊ'ɛnʃəl〕*adj.*	***Influential***. 要有影響力。	有影響力的
intelligent⁴ 〔ɪn'tɛlədʒənt〕*adj.*	***Intelligent***. 要聰明。	聰明的
indispensable⁵ 〔͵ɪndɪs'pɛnsəbḷ〕*adj.*	字首都是 in Absolutely ***indispensable***. 要絕對不可或缺。	不可或缺的
interaction⁴ 〔͵ɪntɚ'ækʃən〕*n.*	Seek ***interaction***. 要尋求互動。	互動

I. 背景說明：

Be quite impressive. 可說成：*Be a quite impressive*
person.（要做一個令人印象相當深刻的人。）*Be quite*
impressive. 的意思是「要讓人見了就忘不了。」*Be quite*
impressive and magnetic.（要讓人印象相當深刻又有吸引力。）
【magnetic〔mæg'nɛtɪk〕*adj.* 有吸引力的】
Imaginative.（= *Be imaginative.*）可說成：
Be *imaginative* and creative.（要有想像力
和創造力。）Be an *imaginative* thinker.
（想法要有想像力。）*Informative.*（= *Be*
informative.）可說成：Be *informative* and instructive.（要能
提供知識並教導別人。）（= *Share knowledge and teach people.*）
【instructive〔ɪn'strʌktɪv〕*adj.* 富教育性的】Be wise and
informative.（要聰明又能提供知識。）

Innovative.（= *Be innovative.*）可說成：Be an *innovative*
person.（要做一個創新的人。）Have a desire to be *innovative.*
（要渴望創新。）*Infectious.*（= *Be infectious.*）*infectious* 通常是
指「（疾病）有傳染性的」，在這裡是作「有感染力的」解。Have
an *infectious* attitude.（要具有有感染力的態度。）Have an
infectious smile.（要具備有感染力的微笑。）所謂「有感染力的」，
就是「令人難以抗拒的」（= *be hard to resist* = *be irresistible*）。
最高的境界是，你笑別人也笑，你哭別人也哭。*Influential.*
（= *Be influential.*）Be an *influential* person.（要做一個有影響
力的人。）Be *influential* in your field.（在你的領域裡，要有影
響力。）

Intelligent. (= *Be intelligent.*) 可加強語氣說成：Be smart and *intelligent.* (要非常聰明。) Be an *intelligent* person. (要做一個聰明的人。) *Absolutely indispensable.* (= *Be absolutely indispensable.*) Be an *absolutely indispensable* asset. (要做一個絕對不可缺少的人。) absolutely 的意思是「絕對地」，asset 的主要意思是「資產」，在此指「寶貴的人」，其他如 soul、character 都可指人。Be *absolutely indispensable* at work. (工作上要沒有你絕對不行。) *Seek interaction.* 可說成：Seek *interaction* with others. (要尋求和別人互動。) Initiate *interaction.* (要先和人互動。) 【initiate〔ɪˋnɪʃɪˏet〕 v. 開始；創始】

Ladies and gentlemen,
    your attention, please:

Be quite impressive.
Imaginative.
Informative.

Innovative.
Infectious.
Influential.

Intelligent.
Absolutely indispensable.
Seek interaction.

These are the steps to be popular.

II. 短篇英語演講：

Ladies and gentlemen, *your attention*, *please:*
各位先生，各位女士，請注意：

Be quite impressive and magnetic.
要讓人印象相當深刻又有吸引力。
Be an *imaginative* thinker.　想法要有想像力。
Be wise and *informative*.　要聰明又能提供知識。

Have a desire to be *innovative*.　要渴望創新。
Have an *infectious* attitude.　要具有有感染力的態度。
Be an *influential* person.　要做一個有影響力的人。

Be smart and *intelligent*.　要非常聰明。
Be *absolutely indispensable* at work.
工作上要沒有你絕對不行。
Seek interaction with others.　要尋求和別人互動。

These are the steps to be popular.　這些就是要受人歡迎的步驟。

III. 短篇作文：

Steps to Be Popular

There are a number of steps you can take to be popular. *First,* *be* a *quite impressive* person. Be *imaginative* and creative. Be *informative* and instructive. *Meanwhile*, be an *innovative* person. Have an *infectious* smile. Be *influential* in your field. *What's more*, be an *intelligent* person. Be an *absolutely indispensable* asset. *Seek interaction* with others. Follow these steps, and popularity is assured.

要受人歡迎的步驟

　　要受人歡迎，你可以採取幾個步驟。首先，要做一個令人印象相當深刻的人。要有想像力和創造力。要能提供知識並教導別人。同時，要做一個創新的人。要具備有感染力的微笑。在你的領域裡，要有影響力。此外，要做一個聰明的人。要做一個絕對不可缺少的人。要尋求和別人互動。如果你能遵照這些步驟，那就一定會受人歡迎。

　　* field〔fɪld〕*n.* 領域　　assure〔əˈʃʊr〕*v.* 保證

IV. 填空：

　　If you want to be popular, be quite ___1___ and magnetic. Be an ___2___ thinker. Be wise and ___3___.

　　Have a desire to be ___4___. Have an ___5___ attitude that people can't resist. Be an ___6___ person in your field of expertise.

　　Be smart and ___7___. Be absolutely ___8___ at work and you'll never be out of a job. Seek ___9___ with others.

　　如果你想受人歡迎，就要讓人印象相當深刻又有吸引力。想法要有想像力。要聰明又能提供知識。

　　要渴望創新。要具有有感染力的態度，使人無法抗拒。在你的專業領域裡，要有影響力。

　　要非常聰明。工作上要沒有你絕對不行，那你就永遠不會失業。要尋求和別人互動。

【解答】 1. impressive　　2. imaginative　　3. informative
　　　　　4. innovative　　5. infectious　　6. influential
　　　　　7. intelligent　　8. indispensable　　9. interaction

　　　* expertise〔ˌɛkspɝˈtiz〕*n.* 專門技術；專門知識
　　　be out of a job 失業

V. 詞彙題：

Directions: Choose the one word that best completes the sentence.

1. Put all the skills you've learned into one _____ package.
   (A) immediate   (B) immune   (C) impressive   (D) initial

2. Popular people are usually _____ and creative.
   (A) imaginative   (B) internal   (C) imperial   (D) implicit

3. People seek out a person who is _____ and wise.
   (A) icy   (B) inevitable   (C) intimate   (D) informative

4. Have a desire to be _____.
   (A) ignorant   (B) innovative   (C) immense   (D) indignant

5. Having an _____ smile is a sure way to get popular.
   (A) irritable   (B) informative   (C) infectious   (D) indoor

6. Be _____ in your field.
   (A) inherent   (B) influential   (C) identical   (D) imaginary

7. An _____ person will find a way to be popular.
   (A) intelligent   (B) infinite   (C) indifferent   (D) instant

8. Work hard to be an absolutely _____ asset.
   (A) inferior   (B) ironic   (C) incidental   (D) indispensable

9. Be proactive and seek _____.
   (A) installment   (B) interaction   (C) impulse   (D) instinct

【答案】 1.(C) 2.(A) 3.(D) 4.(B) 5.(C) 6.(B)
          7.(A) 8.(D) 9.(B)

VI. 同義字整理：

1. **impressive** 〔 ɪmˈprɛsɪv 〕*adj.*
   令人印象深刻的
   - = striking 〔ˈstraɪkɪŋ 〕
   - = exciting 〔 ɪkˈsaɪtɪŋ 〕
   - = awesome 〔ˈɔsəm 〕

2. **imaginative** 〔 ɪˈmædʒəˌnetɪv 〕
   adj. 有想像力的
   - = creative 〔 krɪˈetɪv 〕
   - = inventive 〔 ɪnˈvɛntɪv 〕
   - = ingenious 〔 ɪnˈdʒinjəs 〕
   - = original 〔 əˈrɪdʒənḷ 〕

3. **informative** 〔 ɪnˈfɔrmətɪv 〕
   adj. 給予知識的；提供情報的
   - = instructive 〔 ɪnˈstrʌktɪv 〕
   - = educational 〔ˌɛdʒəˈkeʃənḷ 〕
   - = enlightening 〔 ɪnˈlaɪtṇɪŋ 〕

4. **innovative** 〔ˈɪnəˌvetɪv 〕*adj.*
   創新的
   - = new 〔 nju 〕
   - = fresh 〔 frɛʃ 〕
   - = original 〔 əˈrɪdʒənḷ 〕

5. **infectious** 〔 ɪnˈfɛkʃəs 〕*adj.*
   有感染性的
   - = catching 〔ˈkætʃɪŋ 〕
   - = irresistible 〔ˌɪrɪˈzɪstəbḷ 〕

6. **influential** 〔ˌɪnfluˈɛnʃəl 〕
   adj. 有影響力的
   - = persuasive 〔 pɚˈswesɪv 〕
   - = inspiring 〔 ɪnˈspaɪrɪŋ 〕
   - = powerful 〔ˈpauɚfəl 〕

7. **intelligent** 〔 ɪnˈtɛlədʒənt 〕
   adj. 聰明的
   - = clever 〔ˈklɛvɚ 〕
   - = bright 〔 braɪt 〕
   - = smart 〔 smart 〕
   - = sharp 〔 ʃarp 〕

8. **indispensable**
   〔ˌɪndɪsˈpɛnsəbḷ 〕*adj.* 不可或缺的
   - = essential 〔 ɪˈsɛnʃəl 〕
   - = necessary 〔ˈnɛsəˌsɛrɪ 〕
   - = vital 〔ˈvaɪtḷ 〕
   - = crucial 〔ˈkruʃəl 〕

9. **interaction** 〔ˌɪntɚˈækʃən 〕
   n. 相互作用；互動
   - = sharing 〔ˈʃɛrɪŋ 〕
   - = cooperation
     〔 koˌapəˈreʃən 〕
   - = communication
     〔 kəˌmjunəˈkeʃən 〕
   - = socialization
     〔ˌsoʃələˈzeʃən 〕

How to Be Popular

10. J , L

看英文唸出中文	一口氣說九句	看中文唸出英文
jolly 5 (ˈdʒɑlɪ) *adj.*	字首都是 jo，是同義字	Be *jolly*. 要愉快。	愉快的
joyful 3 (ˈdʒɔɪfəl) *adj.*		*Joyful*. 要愉快	愉快的
joyous 6 (ˈdʒɔɪəs) *adj.*		*Joyous*. 要愉快。	愉快的
lively 3 (ˈlaɪvlɪ) *adj.*	字首是 Lo 字尾是 vely	*Lively*. 要活潑。	活潑的
lovely 2 (ˈlʌvlɪ) *adj.*		*Lovely*. 要可愛。	可愛的
logical 4 (ˈlɑdʒɪkḷ) *adj.*		*Logical*. 要明理。	合乎邏輯的
listener 1 (ˈlɪsnɚ) *n.*	字首是 l	A good *listener*. 要當個好聽眾。	聽眾
leadership 2 (ˈlidɚˌʃɪp) *n.*		Show *leadership*. 要展現領導能力。	領導能力
laugh 1 (læf) *v.*		Make people *laugh*. 要讓人笑。	笑

I. 背景説明：

  Be jolly. 可説成：*Be a jolly* character.（要做一個快樂的人。）*Be jolly* and high-spirited.（要愉快又有精神。）*Joyful.*（= *Be joyful.*）可説成：Be *joyful* and playful.（要快樂又好玩。）（= *Be happy and childlike.* 要像小孩一樣快樂。）*Joyous.*（= *Be joyous.*）可説成：Have a *joyous* attitude.（要有愉快的態度。）Be a *joyous* person.（要做一個愉快的人。）

  Lively.（= *Be lively.*）Be witty and *lively.*（要風趣又活潑。）Be *lively* and upbeat.（要活潑又樂觀。）【upbeat〔ˈʌpˌbit〕*adj.* 樂觀的】*Lovely.*（= *Be lovely.*）Have a *lovely* character.（要有可愛的個性。）Be a *lovely* person.（要做一個可愛的人。）*Logical.*（= *Be logical.*）Be *logical* and reasonable.（要非常明理。）【reasonable〔ˈriznəbl̩〕*adj.* 講道理的；理智的；合理的】Think *logical* thoughts.（想法要合邏輯。）

  A good listener.（= *Be a good listener.*）Try your best to be *a good listener.*（要盡力做一個好聽眾。）Be an attentive *listener.*（要做一個專心傾聽的人。）*Show leadership.* 可説成：*Show* your *leadership* abilities.（要展現你的領導能力。）*Show leadership* and responsibility.（要表現出領導能力和責任心。）*Make people laugh.* 可説成：*Make people laugh* out loud.（要讓人笑出聲音來。）【*out loud* 出聲地】*Make people laugh* loudly.（要讓人笑得很大聲。）Be humorous and *make people laugh.*（要幽默讓別人笑。）

II. 英語演講：

【一字英語演講】

Dear ladies and gentlemen:

Be jolly.
Joyful.
Joyous.

Lively.
Lovely.
Logical.

A good listener.
Show leadership.
Make people laugh.

Do this, and popularity will be yours.

【短篇英語演講】

Dear ladies and gentlemen:
親愛的各位先生、各位女士：

Be a *jolly* character.　要做一個快樂的人。
Be happy and *joyful*.　要非常快樂。
Have a *joyous* attitude.　要有愉快的態度。

Be witty and *lively*.　要風趣又活潑。
Have a *lovely* character.　要有可愛的個性。
Think *logical* thoughts.　想法要合邏輯。

Try your best to be *a good listener*.
要盡力做一個好聽眾。
Show leadership and responsibility.
要展現出領導能力和責任心。
Be humorous and *make people laugh*.
要幽默讓別人笑。

Do this, and popularity will be yours.
如果能這麼做，你就會受人歡迎。

III. 短篇作文：

Popularity Can Be Yours

Here's some great news: Popularity can be yours.　Just follow these keys.　*To start with*, *be jolly* and high-spirited.　Be *joyful* and playful.　Be a *joyous* person who spreads happiness in the world.　*On top of that*, be *lively* and upbeat.　Be a *lovely* person.　Be *logical* and reasonable.　Be *a* very *good listener*.　*Show* your *leadership* abilities.　*Most of all*, *make people laugh* out loud, and popularity will be yours.

你能夠受人歡迎

有一個很棒的消息：你能夠受人歡迎。只要遵照這些關鍵。首先，要愉快又有精神。要快樂又好玩。要做一個愉快的人，在世界上散播快樂。此外，要活潑又樂觀。要做一個可愛的人。要非常明理。要做一個非常好的聽眾。要展現你的領導能力。最重要的是，如果能讓人笑出聲音來，你就會受人歡迎。

* key〔ki〕*n.* 關鍵　　high-spirited〔ˌhaɪˈspɪrɪtɪd〕*adj.* 有精神的
  on top of that 此外

IV. 填空：

If you want to be popular, be a ___1___ character. Be happy and ___2___. Have a ___3___ attitude, always spreading good cheer.

Be witty and ___4___ in conversation. Have a ___5___ character that people can warm up to. But also, think ___6___ thoughts.

Try your best to be a good ___7___. Show ___8___ and responsibility. Be humorous and make people ___9___, and people will like you.

如果你想受人歡迎，就要做一個快樂的人。要非常愉快。要有愉快的態度，總是散播好心情。

對話要風趣又活潑。要有讓人產生好感的可愛個性。不過，想法也要合乎邏輯。

要盡力做一個好聽眾。要展現領導能力和責任心。要幽默讓別人笑，這樣大家就會喜歡你。

【解答】 1. jolly　2. joyful　3. joyous　4. lively　5. lovely
　　　　 6. logical　7. listener　8. leadership　9. laugh
　　　　 * cheer〔tʃɪr〕*n.* 心情　　**warm up to** 開始喜歡；對…產生好感

V. 詞彙題：

Directions: *Choose the one word that best completes the sentence.*

1. Your _____ and high-spirited personality will win many friends.
   (A) jet   (B) jealous   (C) jolly   (D) juicy

2. Most popular people are very happy and _____.
   (A) joyful   (B) joint   (C) justified   (D) juvenile

3. Spread happiness with your _____ attitude.
   (A) journalistic   (B) joyous   (C) just   (D) junior

4. Be celebrated for your witty and _____ character.
   (A) lousy   (B) lively   (C) lonely   (D) likely

5. Everybody is attracted to a _____ person.
   (A) literal   (B) lengthy   (C) lovely   (D) lush

6. You will be in demand for your _____ and reasonable mind.
   (A) lifelong   (B) liquid   (C) luxurious   (D) logical

7. Try your best to be a good _____.
   (A) listener   (B) lizard   (C) liquor   (D) leopard

8. Use your _____ to attain popularity.
   (A) laundry   (B) landslide   (C) limitation   (D) leadership

9. Be humorous and make people _____ out loud.
   (A) lament   (B) laugh   (C) locate   (D) lodge

【答案】1.（C）　2.（A）　3.（B）　4.（B）　5.（C）　6.（D）
　　　　7.（A）　8.（D）　9.（B）

VI. 同義字整理：

1. **jolly** (ˈdʒɑlɪ) *adj.* 愉快的
   - = happy (ˈhæpɪ)
   - = merry (ˈmɛrɪ)
   - = cheerful (ˈtʃɪrfəl)

2. **joyful** (ˈdʒɔɪfəl) *adj.* 愉快的
   - = jolly (ˈdʒɑlɪ)
   - = merry (ˈmɛrɪ)
   - = glad (glæd)
   - = happy (ˈhæpɪ)
   - = delighted (dɪˈlaɪtɪd)

3. **joyous** (ˈdʒɔɪəs) *adj.* 愉快的
   - = joyful (ˈdʒɔɪfəl)
   - = cheerful (ˈtʃɪrfəl)
   - = merry (ˈmɛrɪ)
   - = festive (ˈfɛstɪv)

4. **lively** (ˈlaɪvlɪ) *adj.* 活潑的
   - = active (ˈæktɪv)
   - = dynamic (daɪˈnæmɪk)
   - = vigorous (ˈvɪgərəs)
   - = energetic (ˌɛnəˈdʒɛtɪk)

5. **lovely** (ˈlʌvlɪ) *adj.* 可愛的
   - = appealing (əˈpilɪŋ)
   - = attractive (əˈtræktɪv)
   - = charming (ˈtʃɑrmɪŋ)
   - = pretty (ˈprɪtɪ)

6. **logical** (ˈklɑdʒɪkl̩) *adj.* 合乎邏輯的
   - = rational (ˈræʃənl̩)
   - = reasonable (ˈriznəbl̩)
   - = relevant (ˈrɛləvənt)
   - = consistent (kənˈsɪstənt)

7. **listener** (ˈlɪsn̩ə) *n.* 聽眾
   - = audience (ˈɔdɪəns)
   - = observer (əbˈzɜvə)

8. **leadership** (ˈlidəˌʃɪp) *n.* 領導能力
   - = direction (dəˈrɛkʃən)
   - = guidance (ˈgaɪdn̩s)
   - = supervision (ˌsupəˈvɪʒən)
   - = management (ˈmænɪdʒmənt)

9. **laugh** (læf) *v.* 笑
   - = chuckle (ˈtʃʌkl̩)
   - = giggle (ˈgɪgl̩)
   - = crack up

How to Be Popular

11. M

看英文唸出中文	一口氣說九句	看中文唸出英文

字首都是 ma / 字首是 magn

magnetic[4]
(mæg'nεtɪk) *adj.*

magnificent[4]
(mæg'nɪfəsn̩t) *adj.*

marvelous[3]
('mɑrvl̩əs) *adj.*

Be *magnetic*.
要有吸引力。

Magnificent.
要出色。

Marvelous.
要做一個很棒的人。

有磁性的

壯麗的

很棒的

字首都是 Me

merry[3]
('mεrɪ) *adj.*

memorable[4]
('mεmərəbl̩) *adj.*

meaningful[3]
('minɪŋfəl) *adj.*

Merry.
要快樂。

Memorable.
讓人記得你。

Meaningful.
要做一個重要的人。

歡樂的

難忘的

有意義的

字首都是 Mode

modern[2]
('mɑdən) *adj.*

moderate[4]
('mɑdərɪt) *adj.*

modest[4]
('mɑdɪst) *adj.*

Modern.
要跟得上時代。

Moderate.
要溫和。

Modest and humble.
要非常謙虛。

現代化的

溫和的

謙虛的

I. 背景説明：

> *Be magnetic*. 中的 magnetic，主要意思是「有磁性的」，
> 引申爲「有吸引力的」。Have a *magnetic* personality.（要具備
> 有吸引力的個性。）*Be magnetic* and attractive.（要非常有吸引
> 力。）*Magnificent*.（=*Be magnificent*.）magnificent 的主要
> 意思是「壯麗的；宏偉的」，在此作「出色的」解（=*striking*）。
> Have a *magnificent* smile.（要有燦爛的微笑。）（=*Have a
> brilliant smile*.）Have a *magnificent* attitude.（要有極好的態
> 度。）（=*Have an outstanding outlook*.）*Marvelous*.（=*Be
> marvelous*. =*Be amazing*.）Be *marvelous*. 意思是「要做一個
> 很棒的人。」（=*Be a marvelous person*.）Be a *marvelous*
> friend.（要做一個很棒的朋友。）Be a *marvelous* companion.
> （要做一個很棒的同伴。）marvelous 的意思很多：①令人驚嘆的
> ②很棒的③絕妙的④了不起的⑤非常好的，要依前後句意來判斷。

　　Merry.（=*Be merry*.）Be *merry* and jolly.（要非常快樂。）
Be a *merry* soul.（要做一個快樂的人。）【soul〔sol〕*n.* 靈魂；人】
Memorable.（=*Be memorable*.）名詞是 memory（記憶；回
憶）。memorable 的意思有：①值得紀念的②容易記住的③難忘
的。美國人喜歡説：Make your time here *memorable*.（要讓你
在這裡的時間很難忘。）Be a *memorable* person.（要做一個令
人難忘的人。）*Meaningful*.（=*Be meaningful*.）Be *meaningful*.
在此等於 Be a *meaningful* person.（要做一個重要的人。）（=*Be
an important person*.）meaningful 的主要意思是「有意義的」，
在此作「重要的」解。Do *meaningful* things.（要做有意義的
事。）

Modern. (= *Be modern.*) Be *modern* in your thinking.
（你的想法要跟得上時代。）Be a *modern* person.（要做一個
現代化的人。）*Moderate.* (= *Be moderate.*) Be a *moderate*
person.（要做一個溫和的人。）Be *moderate* in dress and
attitude.（穿著和態度都要適度。）moderate 的意思有：「適中
的；適度的；合理的；不極端的；溫和的；有節制的；不過份的」，
即是「中庸的」。*Modest and humble.* 在此指 Be *modest and*
humble.（要非常謙虛。）modest 和 humble 是同義字，放在
一起，有加強語氣的作用。Be a *modest and humble* person.
（要做一個非常謙虛的人。）美國人喜歡把兩個形容詞放在一
起，但要合乎他們的習慣用法。也可說成：Be *modest* and
respectful.（要謙虛並且恭敬。）

Dear students:

Be magnetic.
Magnificent.
Marvelous.

Merry.
Memorable.
Meaningful.

Modern.
Moderate.
Modest and humble.

Do this and
*　be popular.*

II. 短篇英語演講：

Dear students: 親愛的同學：

Be enchanting and *magnetic*. 要非常有吸引力。
Have a *magnificent* smile. 要有燦爛的微笑。
Be a *marvelous* companion. 要做一個很棒的同伴。

Be *merry* and jolly. 要非常快樂。
Be a *memorable* person. 要做一個令人難忘的人。
Be a *meaningful* person. 要做一個重要的人。

Be *modern* in your thinking. 你的想法要跟得上時代。
Be *moderate* in dress and attitude.
穿著和態度都要適度。
Be *modest and humble*. 要非常謙虛。

Do this and be popular. 這麼做你就會受人歡迎。

III. 短篇作文：

Be Popular

　　Are you looking for the keys to popularity? Here are a few. *One*, have a *magnetic* personality. Have a winning and *magnificent* attitude. Be a *marvelous* friend and a *merry* soul. *What's more*, make your time here *memorable* by doing *meaningful* things. Be a contemporary and *modern* person, up to date with the latest trends. *At the same time*, be a *moderate* person. Be *modest and humble*, and you're sure to be popular.

要受人歡迎

你正在尋找受人歡迎的關鍵嗎？這裡有一些。第一，要具備吸引人的個性。要有吸引人而且極好的態度。要做一個很棒的朋友和快樂的人。此外，藉由做有意義的事，讓你在這裡的時間很難忘。要做一個很現代化，跟得上潮流的人，知道最新的趨勢。同時，要做一個很溫和的人。要非常謙虛，那你一定會受人歡迎。

* winning〔'wɪnɪŋ〕*adj.* 吸引人的
  contemporary〔kən'tɛmpəˌrɛrɪ〕*adj.* 當代的；現代的
  up to date with 知道…的最新進展　　latest〔'letɪst〕*adj.* 最新的
  trend〔trɛnd〕*n.* 趨勢

IV. 填空：

One of the keys to popularity is to be enchanting and ____1____.
Have a ____2____ smile. Be a ____3____ companion and trusted friend.

Be ____4____ and jolly. Be a ____5____ person, somebody we can't forget. Be a ____6____ person.

Be ____7____ in your thinking by seeking information. Be ____8____ in dress and attitude. Be ____9____ and humble about your success.

受人歡迎的關鍵之一，就是要迷人又有吸引力。要有燦爛的微笑。要做一個很棒的同伴和被信任的朋友。

要非常快樂。要做一個令人難忘的人。要做一個重要的人。

要藉由尋求資訊，使自己的想法跟得上時代。穿著和態度都要適度。對自己的成功要非常謙虛。

【解答】 1. magnetic　　2. magnificent　　3. marvelous
4. merry　　5. memorable　　6. meaningful
7. modern　　8. moderate　　9. modest
* enchanting〔ɪn'tʃæntɪŋ〕*adj.* 迷人的
  trusted〔'trʌstɪd〕*adj.* 被信任的

V. 詞彙題：

Directions: *Choose the one word that best completes the sentence.*

1. Nobody can resist a _____ personality.
   (A) messy   (B) middle   (C) manual   (D) magnetic

2. Have a winning and _____ attitude.
   (A) magnificent   (B) marginal   (C) mass   (D) mechanical

3. Be a _____ companion.
   (A) martial   (B) miserable   (C) marvelous   (D) massive

4. Spread happiness with a _____ soul.
   (A) melancholy   (B) merry   (C) mobile   (D) minor

5. Make your time here _____.
   (A) mental   (B) medieval   (C) medium   (D) memorable

6. Spend your time on _____ things.
   (A) moist   (B) monotonous   (C) meaningful   (D) mortal

7. Be a contemporary and _____ person.
   (A) modern   (B) mournful   (C) municipal   (D) mutual

8. Be _____ in dress and attitude.
   (A) movable   (B) muddy   (C) moderate   (D) missing

9. Be _____ and humble about your success.
   (A) muscular   (B) modest   (C) moral   (D) multiple

【答案】 1. (D)   2. (A)   3. (C)   4. (B)   5. (D)   6. (C)
　　　　 7. (A)   8. (C)   9. (B)

VI. 同義字整理：

1. **magnetic** 〔 mæg'nɛtɪk 〕 *adj.*
   有磁性的；有吸引力的
   - = attractive 〔 ə'træktɪv 〕
   - = captivating 〔'kæptə,vetɪŋ 〕
   - = fascinating 〔'fæsn̩,etɪŋ 〕
   - = charming 〔'tʃɑrmɪŋ 〕

2. **magnificent** 〔 mæg'nɪfəsn̩t 〕
   adj. 出色的
   - = grand 〔 grænd 〕
   - = splendid 〔'splɛndɪd 〕
   - = striking 〔'straɪkɪŋ 〕
   - = impressive 〔 ɪm'prɛsɪv 〕

3. **marvelous** 〔'mɑrvl̩əs 〕 *adj.*
   很棒的
   - = fabulous 〔'fæbjələs 〕
   - = fantastic 〔 fæn'tæstɪk 〕
   - = amazing 〔 ə'mezɪŋ 〕
   - = wonderful 〔'wʌndɚfəl 〕

4. **merry** 〔'mɛrɪ 〕 *adj.* 歡樂的
   - = jolly 〔'dʒɑlɪ 〕
   - = joyous 〔'dʒɔɪəs 〕
   - = joyful 〔'dʒɔɪfəl 〕
   - = happy 〔'hæpɪ 〕

5. **memorable** 〔'mɛmərəbl̩ 〕 *adj.*
   難忘的
   - = notable 〔'notəbl̩ 〕
   - = remarkable 〔 rɪ'mɑrkəbl̩ 〕
   - = unforgettable 〔,ʌnfɚ'gɛtəbl̩ 〕
   - = impressive 〔 ɪm'prɛsɪv 〕

6. **meaningful** 〔'minɪŋfəl 〕 *adj.*
   有意義的；重要的
   - = significant 〔 sɪg'nɪfəkənt 〕
   - = important 〔 ɪm'pɔrtn̩t 〕
   - = worthwhile 〔'wɝθ'hwaɪl 〕

7. **modern** 〔'mɑdɚn 〕 *adj.* 現代化
   的；摩登的
   - = latest 〔'letɪst 〕
   - = current 〔'kɝənt 〕
   - = up-to-date 〔'ʌptə'det 〕
   - = contemporary
     〔 kən'tɛmpə,rɛrɪ 〕

8. **moderate** 〔'mɑdərɪt 〕 *adj.*
   適度的；溫和的
   - = mild 〔 maɪld 〕
   - = modest 〔'mɑdɪst 〕
   - = reasonable 〔'riznəbl̩ 〕

9. **modest** 〔'mɑdɪst 〕 *adj.* 謙虛的
   - = humble 〔'hʌmbl̩ 〕
   - = moderate 〔'mɑdərɪt 〕
   - = unpretentious 〔,ʌnprɪ'tɛnʃəs 〕

How to Be Popular

12. N

看英文唸出中文	一口氣說九句	看中文唸出英文
nice[1] 〔 naɪs 〕*adj.*	Be *nice*. 要親切。	好的
natural[2] 〔ˈnætʃərəl〕*adj.*	*Natural*. 要自然。	自然的
neutral[6] 〔ˈnjutrəl〕*adj.*	*Neutral*. 要中立。	中立的

字尾是 ral

☺ ☺ ☹
□ ☒ □

noble[3] 〔ˈnobḷ〕*adj.*	*Noble*. 要高貴。	高貴的
notable[5] 〔ˈnotəbḷ〕*adj.*	*Notable*. 要值得讓人注意。	值得注意的
noticeable[5] 〔ˈnotɪsəbḷ〕*adj.*	Very *noticeable*. 要非常引人注目。	引人注目的

字首都是 No 　 字尾都是 ble

neighbor[2] 〔ˈnebɚ〕*n.*	A good *neighbor*. 要是個好鄰居。	鄰居
nerve[3] 〔 nɝv 〕*n.*	Have *nerve*. 要有勇氣。	神經；勇氣
network 〔ˈnɛtˌwɝk〕*n.*	Expand your *network*. 要擴大你的人際網路。	網路

字首都是 ne

I. 背景說明：

Be nice. 可說成：*Be nice* to everyone you meet.（對每一個你見到的人都要親切。）*Being nice* will get you noticed.（親切的行為會讓你受到注意。）*Natural.*（＝ *Be natural.*）Be *natural* and relaxed.（要自然輕鬆。）Be a confident and *natural* person.（要做一個有信心、自然的人。）*Neutral.*（＝ *Be neutral.*）Remain *neutral.*（要保持中立。）Be a *neutral* observer.（要做一個中立的觀察者。）

Noble.（＝ *Be noble.*）Have a *noble* character.（要有高貴的個性。）Be *noble* and honorable.（要高貴且值得敬佩。）*Notable.*（＝ *Be notable.*）Make yourself *notable.*（要值得讓人注意。）Be *notable* and impressive.（要值得讓人注意又印象深刻。）*Very noticeable.*（＝ *Be very noticeable.*）Be a *very noticeable* person.（要做一個非常引人注目的人。）Be *very noticeable* and outstanding.（要非常傑出，引人注目。）

A good neighbor.（＝ *Be a good neighbor.*）Be *a good* and considerate *neighbor.*（要做一個又好又體貼的鄰居。）Be a friendly *neighbor.*（要做一個友善的鄰居。）*Have nerve.* 字面的意思是「要有神經。」引申為「要有勇氣。」可說成：

Have the *nerve to take risks.*（要有勇氣去冒險。）*Have* the *nerve to approach new people.*（要有勇氣去接近陌生人。）nerve 的後面有修飾語，表指定，須加定冠詞 the。*Expand your network.* 可說成：*Expand your* social *network.*（要擴大你的社交網路。）*Expand your* business *network.*（要擴大你的事業網路。）

II. 英語演講：

【一字英語演講】	【短篇英語演講】
My dear friends:	*My dear friends:* 親愛的朋友：
Be nice. *Natural.* *Neutral.*	*Being nice* will get you noticed. 親切的行為會讓你受到注意。 Be *natural* and relaxed. 要自然輕鬆。 Be a *neutral* observer. 要做一個中立的觀察者。
Noble. *Notable.* *Very noticeable.*	Be *noble* and honorable. 要高貴且值得敬佩。 Be *notable* and impressive. 要值得讓人注意又印象深刻。 Be a *very noticeable* person. 要做一個非常引人注目的人。
A good neighbor. *Have nerve.* *Expand your* *network.*	Be *a* friendly and *good neighbor*. 要做一個又友善又好的鄰居。 *Have* the *nerve* to approach new people. 要有勇氣去接近陌生人。 *Expand your* social *network*. 要擴大你的社交網路。
This is what it takes *to be popular.*	*This is what it takes to be popular*. 這就是受人歡迎的必備條件。

III. 短篇作文：

What It Takes to Be Popular

If you've ever wondered what it takes to be popular, the following are tried and true methods. *First, be nice* to everyone you meet. Be a confident and *natural* person. Remain *neutral* in tricky situations. *Meanwhile*, have a *noble* character. Make yourself *notable*. Your good manners will be *very noticeable*. *Additionally*, be *a good* and considerate *neighbor*. *Have* the *nerve* to try new things. *Expand your* business *network* and then you'll have what it takes to be popular.

受人歡迎的必備條件

　　如果你曾經想知道受人歡迎的必備條件，以下就是經過實驗證明，確實有效的方法。首先，對每一個你見到的人都要親切。要做一個有信心、自然的人。面對棘手的情況，要保持中立。同時，要有高貴的人格。要值得讓人注意。你良好的禮貌將會非常引人注目。此外，要做一個又好又體貼的鄰居。要有勇氣去嘗試新的事物。如果能擴大事業網路，那麼你就會擁有受人歡迎的必備條件。

　　* take〔tek〕v. 需要　　***tried and true*** 實驗證明是確實的
　　tricky〔'trɪkɪ〕adj. 棘手的；難處理的

Ⅳ. 填空：

　　Listen, being ___1___ will get you noticed. Be ___2___ and relaxed and people will approach you. Likewise, be a ___3___ observer in times of trouble.

　　Be ___4___ and honorable, always doing the right thing. Be ___5___ and impressive, and people won't forget you. Be a very ___6___ person.

　　Be a friendly and good ___7___ by showing consideration. Have the ___8___ to approach new people if they're too shy to say hello. Expand your social ___9___ and get popular.

　　聽著，親切的行為會讓你受到注意。如果能自然輕鬆，人們就會接近你。同樣地，在艱困的時期，要做一個中立的觀察者。

　　要高貴且值得敬佩，總是做正確的事。如果值得讓人注意又令人印象深刻，人們就不會忘了你。要做一個非常引人注目的人。

　　藉由展現體諒，做一個又友善又好的鄰居。要有勇氣去接近陌生人，如果他們太害羞，不敢打招呼的話。拓展你的社交網路，你就會受人歡迎。

　　【解答】 1. nice　2. natural　3. neutral　4. noble　5. notable
　　　　6. noticeable　7. neighbor　8. nerve　9. network

　　* approach〔ə'protʃ〕v. 接近
　　consideration〔kən,sɪdə'reʃən〕n. 體諒　　shy〔ʃaɪ〕adj. 害羞的

V. 詞彙題：

Directions: *Choose the one word that best completes the sentence.*

1. It's easier to be _____ than mean and unpleasant.
   (A) necessary   (B) notorious   (C) national   (D) nice

2. A confident and _____ person is popular.
   (A) natural   (B) negative   (C) nearsighted   (D) nervous

3. Stay out of trouble by remaining _____.
   (A) noisy   (B) naughty   (C) naive   (D) neutral

4. Be known as an upright and _____ person.
   (A) navel   (B) noble   (C) nasty   (D) nutritious

5. Your _____ qualities will gain attention.
   (A) naked   (B) narrow   (C) notable   (D) normal

6. Stand out from the crowd as a very _____ person.
   (A) nuclear   (B) numerous   (C) noticeable   (D) needy

7. Be a friendly and good _____ .
   (A) neighbor   (B) napkin   (C) nightmare   (D) needle

8. It may take _____ to approach new people.
   (A) nickname   (B) nerve   (C) nationality   (D) nonsense

9. Constantly expand your social _____.
   (A) necklace   (B) navigation   (C) nuisance   (D) network

【答案】 1.(D)   2.(A)   3.(D)   4.(B)   5.(C)   6.(C)
　　　　 7.(A)   8.(B)   9.(D)

VI. 同義字整理：

1. **nice** ﹙ naɪs ﹚ *adj.* 好的；親切的
   - = friendly ﹙ˈfrɛndlɪ ﹚
   - = amiable ﹙ˈemɪəbḷ ﹚
   - = agreeable ﹙ əˈgriəbḷ ﹚
   - = kind ﹙ kaɪnd ﹚

2. **natural** ﹙ˈnætʃərəl ﹚ *adj.* 自然的
   - = pure ﹙ pjʊr ﹚
   - = real ﹙ˈriəl ﹚
   - = genuine ﹙ˈdʒɛnjʊɪn ﹚
   - = spontaneous ﹙ spɑnˈtenɪəs ﹚

3. **neutral** ﹙ˈnjutrəl ﹚ *adj.* 中立的
   - = unbiased ﹙ ʌnˈbaɪəst ﹚
   - = impartial ﹙ ɪmˈpɑrʃəl ﹚
   - = disinterested ﹙ dɪsˈɪntrɪstɪd ﹚

4. **noble** ﹙ˈnobḷ ﹚ *adj.* 高貴的
   - = honorable ﹙ˈɑnərəbḷ ﹚
   - = magnificent ﹙ mægˈnɪfəsṇt ﹚
   - = distinguished ﹙ dɪˈstɪŋgwɪʃt ﹚

5. **notable** ﹙ˈnotəbḷ ﹚ *adj.* 值得注意的
   - = noticeable ﹙ˈnotɪsəbḷ ﹚
   - = memorable ﹙ˈmɛmərəbḷ ﹚
   - = outstanding ﹙ˈaʊtˈstændɪŋ ﹚
   - = remarkable ﹙ rɪˈmɑrkəbḷ ﹚

6. **noticeable** ﹙ˈnotɪsəbḷ ﹚ *adj.* 引人注目的
   - = obvious ﹙ˈɑbvɪəs ﹚
   - = distinct ﹙ dɪˈstɪŋkt ﹚
   - = unmistakable ﹙ˌʌnməˈstekəbḷ ﹚

7. **neighbor** ﹙ˈnebɚ ﹚ *n.* 鄰居
   - = fellow human
   - = one who lives near

8. **nerve** ﹙ nɝv ﹚ *n.* 神經；勇氣
   - = courage ﹙ˈkɝɪdʒ ﹚
   - = bravery ﹙ˈbrevərɪ ﹚
   - = resolution ﹙ˌrɛzəˈluʃən ﹚
   - = determination ﹙ dɪˌtɝməˈneʃən ﹚

9. **network** ﹙ˈnɛtˌwɝk ﹚ *n.* 網路；關係網
   - = social circle
   - = range of people you know

How to Be Popular

13. O

看英文唸出中文	一口氣說九句	看中文唸出英文

outgoing[5]
(ˈaʊtˌɡoɪŋ) *adj.*

outrageous[6]
(aʊtˈredʒəs) *adj.*

outstanding[4]
(ˈaʊtˈstændɪŋ) *adj.*

字首都是 out ／ 字尾是 ing

Be *outgoing*.
要外向。

Outrageous.
要特別好。

Truly *outstanding*.
要非常傑出。

外向的

殘暴的；極好的

傑出的

---

open[1]
(ˈopən) *adj.*

organized[2]
(ˈɔrɡənˌaɪzd) *adj.*

optimistic[3]
(ˌɑptəˈmɪstɪk) *adj.*

字首是 op

Open.
要開放。

Organized.
要有條理。

Highly *optimistic*.
要非常樂觀。

開放的

有條理的

樂觀的

字首是 or

original[3]
(əˈrɪdʒənḷ) *adj.*

opinion[2]
(əˈpɪnjən) *n.*

originality[6]
(əˌrɪdʒəˈnælətɪ) *n.*

Original.
要有創意。

Have an *opinion*.
要有意見。

Show *originality*.
要展現創意。

最初的

意見

獨創性

I. 背景説明：

Be outgoing. 可說成：Have an *outgoing* personality.
（要有外向的個性。）*Be* an *outgoing* person.（要做一個外向的人。）*Outrageous.* (= *Be outrageous.*) outrageous 的意思有：①殘暴的②驚人的③奇特的④極好的，在此作「奇特的」解 (= *extraordinary*)。Be daring and *outrageous.*（要大膽與衆不同。）Have an *outrageous* personality.（要有特別好的個性。）

Truly outstanding. (= *Be truly outstanding.*) Be *truly outstanding* and distinguished.（要非常傑出。）
(= *Be a noticeable character.*)
Show *outstanding* courage.（要顯示出非凡的勇氣。）(= *Be very brave.*)

Open. (= *Be open.*) Be *open* to others.（對別人要開放。）Be *open* and friendly to others.（對別人要開放又友善。）
Organized. (= *Be organized.*) Be an *organized* person.（要做一個有條理的人。）Be neat and *organized.*（要整齊有條理。）
Highly optimistic. (= *Be highly optimistic.*) Have a *highly optimistic* outlook.（要有非常樂觀的看法。）Be positive and *optimistic.*（要非常樂觀。）

Original. (= *Be original.*) Be an *original* thinker.（想法要有創意。）Have *original* ideas.（要有創新的想法。）

(= *Have new ideas*.) original 的意思有：①最初的；原來的；原先的②全新的；獨特新穎的③見解獨到的；有獨創性的④非複製的；原版的。英文一字多義，在不同的句中有不同的意思，背短句是最好的方法。*Have an opinion*. 可説成：Have your own *opinion* about things. (對事情要有你自己的意見。) 如果你什麼事都沒意見，像是木頭一樣，誰會喜歡你 ? *Have an opinion* and something to say. (要有意見，有話説。) *Show originality*. 可説成：*Show* your *originality*. (要展現你的創意。) (= *Display your originality*.) Show off your *originality*. (要展現你的創意。) show off (炫耀；賣弄；展示)，這個成語有正反兩面的意思，這裡作「展示」解。

Students, **parents**, **and teachers:**

Be outgoing.
Outrageous.
Truly outstanding.

Open.
Organized.
Highly optimistic.

Original.
Have an opinion.
Show originality.

These are nine keys to popularity.

II. 短篇英語演講：

Students, parents, and teachers:
各位同學、家長，和老師：

Have an *outgoing* character. 要有外向的個性。
Have an *outrageous* personality. 要有特別好的個性。
Be *truly outstanding* and distinguished. 要非常傑出。

Be *open* to others. 對別人要開放。
Be an *organized* person. 要做一個有條理的人。
Be positive and *highly optimistic*. 要非常樂觀。

Have *original* ideas. 要有創新的想法。
Have your own *opinion* about things.
對事情要有你自己的意見。
Show your *originality*. 要展現你的創意。

These are nine keys to popularity.
這些就是受人歡迎的九個關鍵。

III. 短篇作文：

Nine Keys to Popularity

Learn the nine keys to popularity and you can't go wrong.
First, *be outgoing* and personable. Be daring and *outrageous*.
Show *truly outstanding* courage. *On top of that*, be *open* and
friendly with people. Be neat and *organized*. Have a *highly
optimistic* outlook. *Finally*, be an *original* thinker. *Have an
opinion* and something to say. *Show* your *originality* and
you'll be popular in no time at all.

受人歡迎的九個關鍵

如果能知道受人歡迎的九個關鍵，你就不會出錯。首先，要外向而且討人喜歡。要大膽與眾不同。要顯示出非凡的勇氣。此外，對別人要開放而且友善。要整齊而且有條理。要有非常樂觀的看法。最後，想法要有創意。要有意見，有話說。如果能展現你的創意，你很快就會受人歡迎。

* learn〔lɜn〕*v.* 知道　　***go wrong*** 出錯
  personable〔'pɜsnəbl〕*adj.* 討人喜歡的
  in no time 立刻；馬上

IV. 填空：

One way to be popular is to have an ___1___ character. Be truly ___2___ and distinguished. Have an ___3___ personality.

Be ___4___ to others. Be an ___5___ person. Be positive and ___6___, always looking on the bright side of life.

Popular people have ___7___ ideas. Likewise, you should have your own ___8___ about things. Show off your ___9___, and popularity will be yours.

受人歡迎的方法之一，就是要有外向的個性。要非常傑出。要有非常好的個性。

對別人要開放。要做一個有條理的人。要非常樂觀，總是看人生的光明面。

受歡迎的人會有創新的想法。同樣地，你對事情應該要有自己的意見。如果能展現你的創意，那你就會受人歡迎。

【解答】 1. outgoing　　2. outstanding　　3. outrageous
4. open　　5. organized　　6. optimistic
7. original　　8. opinion　　9. originality
* distinguished〔dɪs'tɪŋgwɪʃt〕*adj.* 卓越的

V. 詞彙題：

Directions: Choose the one word that best completes the sentence.

1. Most popular people are _____ and personable.
   (A) outer　(B) outdoor　(C) outgoing　(D) outward

2. You'll generate interest with an _____ personality.
   (A) outrageous　(B) official　(C) optional　(D) overseas

3. Win people over with your truly _____ attitude.
   (A) outstanding　(B) operational　(C) opposite　(D) odd

4. Be _____ and friendly with everybody you meet.
   (A) oval　(B) open　(C) oral　(D) orderly

5. Do yourself a favor and be neat and _____.
   (A) obtained　(B) opposed　(C) occupied　(D) organized

6. You'll be well-served by having a highly _____ outlook.
   (A) ordinary　(B) optimistic　(C) occasional　(D) obscure

7. Popularity comes to _____ thinkers with fresh ideas.
   (A) oblong　(B) obstinate　(C) original　(D) obedient

8. Have an _____ and express yourself clearly.
   (A) obstacle　(B) overpass　(C) organ　(D) opinion

9. Impress people with your _____ and unique style.
   (A) originality　(B) organism　(C) organ　(D) orbit

【答案】1.(C)　2.(A)　3.(A)　4.(B)　5.(D)　6.(B)
　　　　7.(C)　8.(D)　9.(A)

VI. 同義字整理：

1. **outgoing** 〔'aʊt,goɪŋ 〕 *adj.* 外向的
   - = open 〔'opən 〕
   - = warm 〔 wɔrm 〕
   - = friendly 〔'frɛndlɪ 〕
   - = sociable 〔'soʃəbḷ 〕

2. **outrageous** 〔 aʊt'redʒəs 〕 *adj.* 極好的；奇特的
   - = extraordinary 〔 ɪk'strɔdṇ,ɛrɪ 〕
   - = extremely unusual

3. **outstanding** 〔'aʊt'stændɪŋ 〕 *adj.* 傑出的
   - = excellent 〔'ɛkslənt 〕
   - = exceptional 〔 ɪk'sɛpʃənḷ 〕
   - = impressive 〔 ɪm'prɛsɪv 〕
   - = distinguished 〔 dɪ'stɪŋgwɪʃt 〕

4. **open** 〔'opən 〕 *adj.* 開放的
   - = available 〔 ə'veləbḷ 〕
   - = accessible 〔 æk'sɛsəbḷ 〕
   - = liberal 〔'lɪbərəl 〕

5. **organized** 〔'ɔrgən,aɪzd 〕 *adj.* 有條理的
   - = neat 〔 nit 〕
   - = tidy 〔'taɪdɪ 〕
   - = orderly 〔'ɔrdəlɪ 〕
   - = methodical 〔 mə'θɑdɪkḷ 〕

6. **optimistic** 〔,ɑptə'mɪstɪk 〕 *adj.* 樂觀的
   - = hopeful 〔'hopfəl 〕
   - = positive 〔'pɑzətɪv 〕
   - = confident 〔'kɑnfədənt 〕

7. **original** 〔 ə'rɪdʒənḷ 〕 *adj.* 最初的；有創意的
   - = inventive 〔 ɪn'vɛntɪv 〕
   - = innovative 〔'ɪnə,vetɪv 〕
   - = creative 〔 krɪ'etɪv 〕
   - = imaginative 〔 ɪ'mædʒə,netɪv 〕
   - = ingenious 〔 ɪn'dʒinjəs 〕

8. **opinion** 〔 ə'pɪnjən 〕 *n.* 意見；看法
   - = idea 〔 aɪ'diə 〕
   - = viewpoint 〔'vju,pɔɪnt 〕
   - = point of view

9. **originality** 〔 ə,rɪdʒə'nælətɪ 〕 *n.* 創意；獨創性
   - = creativity 〔,krie'tɪvətɪ 〕
   - = ingenuity 〔,ɪndʒə'nuətɪ 〕
   - = innovation 〔,ɪnə'veʃən 〕
   - = inventiveness 〔 ɪn'vɛntɪvnɪs 〕

How to Be Popular

14. P (1)

看英文唸出中文	一口氣說九句	看中文唸出英文

polite [2]
〔 pə'laɪt 〕 *adj.*

字首都是 po

Be *polite*.
要有禮貌。

有禮貌的

powerful [2]
〔 'pauɚfəl 〕 *adj.*

Powerful.
要有力量。

強有力的

positive [2]
〔 'pɑzətɪv 〕 *adj.*

Really *positive*.
要非常樂觀。

樂觀的

字尾是 tive

---

productive [4]
〔 prə'dʌktɪv 〕 *adj.*

字首都是 Pro

Productive.
要有生產力。

有生產力的

proficient [6]
〔 prə'fɪʃənt 〕 *adj.*

Proficient.
工作要熟練。

熟練的

prosperous [4]
〔 'prɑspərəs 〕 *adj.*

Prosperous.
要成功發達。

繁榮的

---

peaceful [2]
〔 'pisfəl 〕 *adj.*

Peaceful.
要很平靜。

平靜的

passionate [5]
〔 'pæʃənɪt 〕 *adj.*

字首是 pa

Passionate.
要熱情。

熱情的

patient [2]
〔 'peʃənt 〕 *adj.*

Extremely *patient*.
要非常有耐心。

有耐心的

I. 背景説明：

　　Be polite. 可説成：*Be a polite* person.（要做一個有禮貌的人。）Be *polite* and well-mannered.（要非常有禮貌。）*Powerful.*（=*Be powerful.*）Be a *powerful* figure in your field.（在你的領域中，要做一個有力量的人。）Be a *powerful* and reliable person.（要做一個有力量又可靠的人。）*Really positive.*（=*Be really positive.*）Be a *really positive* person.（要做一個非常樂觀的人。）Be *positive* and confident.（要樂觀又有信心。）

　　Productive.（=*Be productive.*）Be busy and *productive.*（要忙碌又有生產力。）Be a *productive* worker.（工作要有生產力。）*Proficient.*（=*Be proficient.*）可加強語氣説成：Be *proficient* and skilled.（要有專業技術又熟練。）Be a *proficient* worker.（工作要熟練。）*Prosperous.*（=*Be prosperous.*）Be *prosperous* and generous.（要成功又慷慨。）（=*Be successful and generous.*）Work hard and be *prosperous.*（努力工作就會成功。）（=*Work hard and you will be successful.*）prosperous 的意思有：「興旺的；繁榮的；昌盛的；成功的；富足的」，形容人時，意思是「既成功又有錢」（=*rich and successful*）。我們説一個人「他發了」，就是 He is *prosperous.*

　　Peaceful.（=*Be peaceful.*）Be *peaceful* and calm.（要非常冷靜。）Be *peaceful* in the face of danger.（面對危險要冷靜。）*Passionate.*（=*Be passionate.*）Be a *passionate* person.（要做一個熱情的人。）Be *passionate* about what you do.（對你所做的事要熱情。）*Extremely patient.*（=*Be extremely patient.*）Be an *extremely patient* friend.（要做一個非常有耐心的朋友。）Be *extremely patient* and considerate.（要非常有耐心又體貼。）

II. 英語演講：

【一字英語演講】	【短篇英語演講】
Hello, friends:	*Hello, friends:* 各位朋友，大家好：
Be polite.	*Be* a *polite* person. 要做一個有禮貌的人。
Powerful.	Be a *powerful* and reliable person.
Really positive.	要做一個有力量又可靠的人。
	Be *really positive* and confident.
	要非常樂觀又有信心。
Productive.	
Proficient.	Be busy and *productive*. 要忙碌又有生產力。
Prosperous.	Be a *proficient* worker. 工作要熟練。
	Be *prosperous* and generous. 要成功發達又慷慨。
Peaceful.	
Passionate.	Be *peaceful* and calm. 要非常冷靜。
Extremely patient.	Be *passionate* about what you do.
	對你所做的事要熱情。
Do this, and you can be popular, too!	Be *extremely patient* and considerate.
	要非常有耐心又體貼。
	Do this, and you can be popular, too!
	如果這麼做，你也能受人歡迎！

III. 短篇作文：

You Can Be Popular, Too

Popularity is a tricky thing. *Indeed*, everybody wants it, but so few can have it. You can be popular if you follow this advice. *To begin with*, *be polite* and well-mannered. Be a *powerful* figure in your field. Be a *really positive* person. *Furthermore*, be busy and *productive*. Be *proficient* and skilled. Work hard, and be *prosperous*. *Finally*, develop a *peaceful* nature. Be a *passionate* person. Be *extremely patient*, and you will surely attract popularity.

你也能受人歡迎

受人歡迎是一件棘手的事。的確，每個人都想受人歡迎，但能做到的人很少。如果你聽從這些勸告，你就會受人歡迎。首先，要非常有禮貌。在你的領域中，要做一個有力量的人。要做一個非常樂觀的人。此外，要忙碌又有生產力。要有專業技術又熟練。努力工作就會成功發達。最後，要培養冷靜的特質。要做一個熱情的人。如果你非常有耐心，一定能受人歡迎。

* nature〔'netʃə〕*n.* 特質；特性

IV. 填空：

You can be popular if you're a ___1___ person. Be a ___2___ and reliable person. Be really ___3___ and confident.

Use your time to be ___4___, focusing on worthwhile tasks. Be a ___5___ worker. Be ___6___ and generous.

Have a ___7___ and calm nature. Be ___8___ about what you do. Be extremely ___9___ and considerate with others, and you will surely attract popularity.

如果你是一個有禮貌的人，就會受人歡迎。要做一個有力量又可靠的人。要非常樂觀又有信心。

每一分鐘都要有生產力，專注於值得做的工作上。工作要熟練。要成功發達又慷慨。

要有非常冷靜的特質。對你所做的事要熱情。如果能對別人非常有耐心又體貼，你一定會受人歡迎。

【解答】 1. polite 　2. powerful 　3. positive
　　　　 4. productive 　5. proficient 　6. prosperous
　　　　 7. peaceful 　8. passionate 　9. patient
　　　　 * *focus on* 專注於 　worthwhile〔'wɜθ'hwaɪl〕*adj.* 值得做的

V. 詞彙題：

Directions: *Choose the one word that best completes the sentence.*

1. Educated people are always _____.
   (A) prehistoric (B) polite (C) primitive (D) permanent

2. Be a _____ figure in your field.
   (A) passive (B) pessimistic (C) powerful (D) physical

3. Everybody needs a _____ influence in their lives.
   (A) preliminary (B) positive (C) poetic (D) patriotic

4. Use your time to be _____.
   (A) precious (B) practical (C) public (D) productive

5. A _____ worker is much in demand.
   (A) pale (B) parallel (C) proficient (D) poisonous

6. The most _____ people are also the most generous.
   (A) prompt (B) possible (C) prone (D) prosperous

7. Have a _____ nature in times of trouble.
   (A) present (B) peaceful (C) pregnant (D) prospective

8. Success comes when you are _____ about what you do.
   (A) passionate (B) pious (C) potential (D) popular

9. A _____ and considerate person is always well-liked.
   (A) patient (B) premature (C) previous (D) probable

【答案】1.（B） 2.（C） 3.（B） 4.（D） 5.（C） 6.（D）
7.（B） 8.（A） 9.（A）

VI. 同義字整理：

1. **polite** 〔 pə'laɪt 〕 *adj.* 有禮貌的
   - = courteous 〔'kɝtɪəs 〕
   - = gracious 〔'greʃəs 〕
   - = respectful 〔 rɪ'spɛktfəl 〕
   - = civil 〔'sɪvḷ 〕

2. **powerful** 〔'paʊəfəl 〕 *adj.* 強有力的
   - = influential 〔ˌɪnflu'ɛnʃəl 〕
   - = persuasive 〔 pɚ'swesɪv 〕
   - = impressive 〔 ɪm'prɛsɪv 〕
   - = commanding 〔 kə'mændɪŋ 〕

3. **positive** 〔'pɑzətɪv 〕 *adj.* 樂觀的；正面的
   - = optimistic 〔ˌɑptə'mɪstɪk 〕
   - = confident 〔'kɑnfədənt 〕
   - = hopeful 〔'hopfəl 〕

4. **productive** 〔 prə'dʌktɪv 〕 *adj.* 有生產力的
   - = fertile 〔'fɝtḷ 〕
   - = creative 〔 krɪ'etɪv 〕
   - = inventive 〔 ɪn'vɛntɪv 〕
   - = constructive 〔 kən'strʌktɪv 〕

5. **proficient** 〔 prə'fɪʃənt 〕 *adj.* 熟練的；精通的
   - = expert 〔'ɛkspɝt 〕
   - = competent 〔'kɑmpətənt 〕
   - = skilled 〔 skɪld 〕

6. **prosperous** 〔'prɑspərəs 〕 *adj.* 繁榮的；成功的
   - = successful 〔 sək'sɛsfəl 〕
   - = doing well
   - = rich 〔 rɪʃ 〕
   - = wealthy 〔'wɛlθɪ 〕

7. **peaceful** 〔'pisfəl 〕 *adj.* 平靜的；愛好和平的
   - = calm 〔 kɑm 〕
   - = amicable 〔'emɪkəbḷ 〕
   - = harmonious 〔 hɑr'monɪəs 〕

8. **passionate** 〔'pæʃənɪt 〕 *adj.* 熱情的
   - = warm 〔 wɔrm 〕
   - = eager 〔'igɚ 〕
   - = enthusiastic 〔 ɪnˌθjuzɪ'æstɪk 〕

9. **patient** 〔'peʃənt 〕 *adj.* 有耐心的
   - = tolerant 〔'tɑlərənt 〕
   - = indulgent 〔 ɪn'dʌldʒənt 〕
   - = forgiving 〔 fɚ'gɪvɪŋ 〕
   - = understanding 〔ˌʌndɚ'stændɪŋ 〕

How to Be Popular

15. P (2)

看英文唸出中文	一口氣説九句	看中文唸出英文

playful[2]
（'plefəl ） *adj.*

字首是 pl

Be *playful*.
要愛玩。

愛玩的

pleasant[2]
（'plɛznt ） *adj.*

Pleasant.
要令人愉快。

令人愉快的

persuasive[4]
（ pɚ'swesɪv ） *adj.*

Persuasive.
要有說服力。

有説服力的

---

pure[3]
（ pjur ） *adj.*

兩短一長

Pure.
要單純。

純粹的

pretty[1]
（'prɪtɪ ） *adj.*

Pretty.
要漂亮。

漂亮的

professional[6]
（ prə'fɛʃənl ） *adj.*

Professional.
要專業。

專業的

---

passion[3]
（'pæʃən ） *n.*

字首是 pa

Have *passion*.
要有熱情。

熱情

patience[3]
（'peʃəns ） *n.*

Patience.
要有耐心。

耐心

personality[3]
（,pɝsn'ælətɪ ） *n.*

Personality.
要有個性，否則無趣。

個性

I. 背景説明：

    Be playful. 可説成：*Be playful* and curious.（要愛玩又好奇。）Have a *playful* character.（要有愛玩的個性。）*Pleasant.*（= *Be pleasant.*）Be *pleasant* and charming.（要令人愉快又迷人。）Have a *pleasant* personality.（要有令人愉快的個性。）*Persuasive.*（= *Be persuasive.*）Be *persuasive* and persistent.（要有說服力並堅持到底。）Be a *persuasive* talker.（說話要有說服力。）

    Pure.（= *Be pure.*）Be a *pure* person.（要做一個單純的人。）Be *pure* and genuine.（要純眞。）*Pretty.*（= *Be pretty.*）Be *pretty* and attractive.（要漂亮又有吸引力。）Be a *pretty* person.（要做一個漂亮的人。）*Professional.*（= *Be professional.*）Be *professional* and courteous.（要專業又有禮貌。）Maintain a *professional* appearance.（要保持專業的外表。）

    Have passion. 可説成：*Have passion* for your work.（對你的工作要有熱情。）Do everything with *passion*.（做每件事都要有熱情。）*Patience.*（= *Have patience.*）Have *patience* for others.（對別人要有耐心。）Treat people with *patience*.（對人要有耐心。）*Personality.*（= *Have personality.*）字面的意思是「要有個性。」也就是「要有個人特色，否則就會無趣。」（*Without personality, a person is dull.*）Have a pleasing *personality*.（要有令人愉快的個性。）Develop a good *personality*.（要培養好的個性。）

II. 英語演講：

【一字英語演講】	【短篇英語演講】
Boys and girls of all ages:	*Boys and girls of all ages:* 各位男孩，各位女孩：
	Be *playful* and curious. 要愛玩又好奇。
Be playful.	Be *pleasant* and charming. 要令人愉快又迷人。
Pleasant.	Be *persuasive* and persistent.
Persuasive.	要有說服力並堅持到底。
Pure.	Be a *pure* person. 要做一個單純的人。
Pretty.	Be *pretty* and attractive. 要漂亮又有吸引力。
Professional.	Maintain a *professional* appearance.
	要保持專業的外表。
Have passion.	
Patience.	*Have passion* for your work. 對你的工作要有熱情。
Personality.	Treat people with *patience*. 對人要有耐心。
	Develop a good *personality*. 要培養好的個性。
These are the secrets of being popular.	*These are the secrets of being popular.* 這些就是受人歡迎的祕訣。

III. 短篇作文：

The Secrets of Being Popular

Do you want to know the secrets of being popular? *Of course*, you do. *One*, *be playful* and curious. Have a *pleasant* personality and people will want to be around you. Be *persuasive* and persistent. *Meanwhile*, be *pure* and genuine. Be a *pretty* person. Be *professional* and courteous, no matter who you're talking to. *Additionally*, do everything with *passion*. Have *patience* with others. *Indeed*, a pleasing *personality* is one of the top secrets of being popular.

受人歡迎的祕訣

你想要知道受人歡迎的祕訣嗎？你當然想。第一，要愛玩又好奇。要有令人愉快的個性，這樣人們就會想要在你周圍。要有說服力並堅持到底。同時，要純眞。要做一個漂亮的人。無論和誰說話，都要專業又有禮貌。此外，做每件事都要有熱情。對別人要有耐心。的確，令人愉快的個性是受人歡迎最重要的祕訣之一。

* persistent〔pɚ'zɪstənt〕adj. 持續的
genuine〔'dʒɛnjuɪn〕adj. 眞的　　courteous〔'kɝtɪəs〕adj. 有禮貌的
pleasing〔'plizɪŋ〕adj. 令人愉快的

IV. 填空：

Have a ___1___ character. Be ___2___ and charming. Be ___3___ yet gentle, and you'll get what you want.

Be a ___4___ person. Be ___5___ and attractive. Maintain a ___6___ appearance and make a great first impression.

Have ___7___ for your work. Treat people with ___8___ and compassion. Develop a good ___9___ and you're bound to be popular.

要有愛玩的個性。要令人愉快又迷人。要有說服力但又溫和，那你就會得到你想要的。

要做一個單純的人。要漂亮又有吸引力。要保持專業的外表，給人很棒的第一印象。

對你的工作要有熱情。對人要有耐心和同情心。如果能培養好的個性，你一定會受人歡迎。

【解答】 1. playful　2. pleasant　3. persuasive
　　　　 4. pure　5. pretty　6. professional　7. passion
　　　　 8. patience　9. personality

* yet〔jɛt〕conj. 但是　　impression〔ɪm'prɛʃən〕n. 印象
compassion〔kəm'pæʃən〕n. 同情　　**be bound to V.** 一定會…

V. 詞彙題：

Directions: Choose the one word that best completes the sentence.

1. Be admired for a _____ and curious nature.
   (A) principal　(B) plentiful　(C) painful　(D) playful

2. You'll make a lot of friends with a _____ personality.
   (A) puzzled　(B) plural　(C) polar　(D) pleasant

3. Your _____ and charming ways will influence others.
   (A) portable　(B) prior　(C) persuasive　(D) provincial

4. A clear conscience is _____ and untroubled.
   (A) petty　(B) pure　(C) preliminary　(D) pathetic

5. It's hard to resist a _____ and attractive person.
   (A) plain　(B) primary　(C) pretty　(D) psychological

6. Maintain a _____ appearance.
   (A) professional　(B) partial　(C) preventive　(D) private

7. Insist on doing everything with _____.
   (A) passion　(B) pastime　(C) pressure　(D) possession

8. Always treat people with _____ and kindness.
   (A) patent　(B) program　(C) privilege　(D) patience

9. Develop a good _____ and you'll be popular.
   (A) pastry　(B) personality　(C) privacy　(D) possibility

【答案】1.(D)　2.(D)　3.(C)　4.(B)　5.(C)　6.(A)
　　　　7.(A)　8.(D)　9.(B)

VI. 同義字整理：

1. **playful** [ˈplefəl] *adj.* 愛玩的
   - = lively [ˈlaɪvlɪ]
   - = merry [ˈmɛrɪ]
   - = cheerful [ˈtʃɪrfəl]
   - = mischievous [ˈmɪstʃɪvəs]

2. **pleasant** [ˈplɛzn̩t] *adj.* 令人愉快的
   - = amusing [əˈmjuzɪŋ]
   - = delightful [dɪˈlaɪtfəl]
   - = agreeable [əˈgriəbl̩]

3. **persuasive** [pɚˈswesɪv] *adj.* 有說服力的
   - = convincing [kənˈvɪnsɪŋ]
   - = eloquent [ˈɛləkwənt]
   - = influential [ˌɪnfluˈɛnʃəl]

4. **pure** [pjur] *adj.* 純粹的
   - = real [ˈriəl]
   - = true [tru]
   - = natural [ˈnætʃərəl]
   - = genuine [ˈdʒɛnjuɪn]

5. **pretty** [ˈprɪtɪ] *adj.* 漂亮的
   - = attractive [əˈtræktɪv]
   - = appealing [əˈpilɪŋ]
   - = good-looking [ˈgudˈlukɪŋ]
   - = beautiful [ˈbjutəfəl]

6. **professional** [prəˈfɛʃənl̩] *adj.* 專業的
   - = skilled [skɪld]
   - = expert [ˈɛkspɝt]
   - = competent [ˈkɑmpətənt]
   - = proficient [prəˈfɪʃənt]

7. **passion** [ˈpæʃən] *n.* 熱情
   - = warmth [wɔrmθ]
   - = enthusiasm [ɪnˈθjuzɪˌæzəm]
   - = excitement [ɪkˈsaɪtmənt]
   - = love [lʌv]

8. **patience** [ˈpeʃəns] *n.* 耐心
   - = tolerance [ˈtɑlərəns]
   - = endurance [ɪnˈdjurəns]
   - = persistence [pɚˈzɪstəns]
   - = perseverance [ˌpɝsəˈvɪrəns]

9. **personality** [ˌpɝsn̩ˈælətɪ] *n.* 個性
   - = character [ˈkærɪktɚ]
   - = temperament [ˈtɛmpərəmənt]
   - = disposition [ˌdɪspəˈzɪʃən]
   - = individuality [ˌɪndəˌvɪdʒuˈælətɪ]

How to Be Popular

16. R

看英文唸出中文	一口氣說九句	看中文唸出英文

reliable[3]
(rɪˈlaɪəbḷ) *adj.*

remarkable[4]
(rɪˈmarkəbḷ) *adj.*

reasonable[3]
(ˈriznəbḷ) *adj.*

字首都是 re

Be *reliable*.
要可靠。

Remarkable.
要出色。

Reasonable.
要明理。

字尾都是 able

可靠的

出色的

合理的

---

respectable[4]
(rɪˈspɛktəbḷ) *adj.*

respectful[4]
(rɪˈspɛktfəl) *adj.*

responsible[2]
(rɪˈspɑnsəbḷ) *adj.*

字首都是 Resp

Respectable.
要值得尊敬。

Respectful.
要尊敬他人。

Responsible.
要負責任。

字尾是 ble

可敬的

恭敬的

負責任的

---

radiate[6]
(ˈredɪˌet) *v.*

risk[3]
(rɪsk) *n.*

recognition[4]
(ˌrɛkəgˈnɪʃən) *n.*

Radiate warmth.
要散發出溫暖。

Take *risks*.
要勇於冒險。

Seek *recognition*.
要尋求認可。

輻射；散發

風險

認可

I. 背景說明：

Be reliable. 可說成：*Be reliable* and trustworthy. （要可靠，值得信任。）*Be reliable* and consistent. （要可靠，前後一致，不會變來變去。）*Remarkable.* （= *Be remarkable.*）Be a *remarkable* character. （要做一個出色的人。）Stand out and be *remarkable*. （要非常出色。）【*stand out* 突出；引人注目】remarkable 的意思有：「值得注意的；顯著的；非凡的；出色的」。*Reasonable.* （= *Be reasonable.*）Be a *reasonable* person. （要做一個明理的人。）Have a *reasonable* attitude. （要有明理的態度。）

Respectable. （= *Be respectable.*）Be a *respectable* person. （要做一個值得尊敬的人。）Be *respectable* and professional. （要值得尊敬又專業。）*Respectful.* （= *Be respectful.*）Be *respectful* to others. （對他人要尊敬。）Treat others *respectfully*. （要恭敬地對待別人。）*Responsible.* （= *Be responsible.*）Be a *responsible* person. （要做一個負責任的人。）Be *responsible* for your life. （要對你的人生負責。）

radiate 的意思是「輻射；放射；流露；顯露」，在這裡是指正面的，作「發光發熱」解（= *be radiant*）。*Radiate warmth.* 可說成：*Radiate* positive energy. （要散發出正面的能量。）*Radiate* kindness. （要散發出親切。）*Radiate* friendliness. （要散發出友善。）*Take risks.* 可說成：Don't be afraid to *take risks*. （不要害怕冒險。）Be willing to *take risks*. （要願意冒險。）*Seek recognition.* 可說成：*Seek* fame and *recognition*. （要追求名聲和認可。）Strive for *recognition*. （要努力爭取認可。）

II. 英語演講：

【一字英語演講】

To all those in attendance:

Be reliable.
Remarkable.
Reasonable.

Respectable.
Respectful.
Responsible.

Radiate warmth.
Take risks.
Seek recognition.

This is how to increase your popularity.

【短篇英語演講】

To all those in attendance: 各位在座的貴賓：

Be reliable and trustworthy. 要可靠，值得信任。
Stand out and be *remarkable*. 要非常出色。
Be a *reasonable* person. 要做一個明理的人。

Be *respectable* and professional.
要值得尊敬又專業。
Treat others *respectfully*. 要恭敬地對待別人。
Be *responsible* for your actions.
要對你的行爲負責。

Radiate warmth. 要散發出溫暖。
Be willing to *take risks*. 要願意冒險。
Seek fame and *recognition*. 要追求名聲與認可。

This is how to increase your popularity.
這就是使自己更受歡迎的方法。

III. 短篇作文：

Improve Your Popularity

Many people wonder how to improve their popularity. Here's how. *First of all*, *be reliable* and consistent. Be a *remarkable* character who makes a lasting impression. Have a *reasonable* attitude. Be a *respectable* person. *Likewise*, be *respectful* to others and *responsible* for your own actions. *Radiate warmth*. Don't be afraid to *take risks*. *Most of all*, you can improve your popularity by striving for *recognition*.

使自己更受歡迎

很多人想知道，如何才能更受人歡迎。這裡告訴你該怎麼做。首先，要可靠，前後一致，不會變來變去。要做一個出色的人，給人持久的印象。要有明理的態度。要做一個值得尊敬的人。同樣地，對他人要尊敬，並對自己的行為負責。要散發出溫暖。不要害怕冒險。最重要的是，你可以藉由努力爭取認可，讓自己更受歡迎。

*lasting〔ˈlæstɪŋ〕adj. 持久的　　impression〔ɪmˈprɛʃən〕n. 印象
warmth〔wɔrmθ〕n. 溫暖　　strive〔straɪv〕v. 努力

IV. 填空：

Being ___1___ and trustworthy will certainly improve your popularity. Stand out and be ___2___. Be a ___3___ person.

Be ___4___ and professional. Treat others ___5___, the way you would want to be treated. Be ___6___ for your actions.

___7___ positive energy. Be willing to take a ___8___. Seek fame and ___9___, and increase your popularity now.

很可靠並值得信任，一定能讓你更受歡迎。要非常出色。要做一個明理的人。

要值得尊敬又專業。要以你想被對待的方式，恭敬地對待別人。要對你的行為負責。

要散發出正面的能量。要願意冒險。要追求名聲和認可，並立刻讓自己更受歡迎。

【解答】　1. reliable　　2. remarkable　　3. reasonable
　　　　　4. respectable　　5. respectfully　　6. responsible
　　　　　7. Radiate　　8. risk　　9. recognition
　　* trustworthy〔ˈtrʌstˌwɝðɪ〕adj. 值得信任的
　　　popularity〔ˌpɑpjəˈlærətɪ〕n. 受歡迎
　　　fame〔fem〕n. 名聲

V. 詞彙題：

Directions: Choose the one word that best completes the sentence.

1. It's important to be a _____ and consistent person.
   (A) respective　(B) relative　(C) reliable　(D) remote

2. Stand out from the pack and be _____.
   (A) remarkable　(B) random　(C) recent　(D) relevant

3. Win friends with a _____ attitude.
   (A) rusty　(B) reasonable　(C) reckless　(D) regardless

4. Live a _____ lifestyle.
   (A) resistant　(B) racial　(C) redundant　(D) respectable

5. You'll make more friends with a _____ attitude.
   (A) rapid　(B) reluctant　(C) respectful　(D) rough

6. Be _____ for your life.
   (A) responsible　(B) radiant　(C) ragged　(D) rugged

7. _____ positive energy.
   (A) Regulate　(B) Radiate　(C) Rotate　(D) Retaliate

8. Good things come to those who take _____.
   (A) ropes　(B) roofs　(C) risks　(D) rules

9. Always be striving for _____.
   (A) repetition　(B) restriction　(C) rotation　(D) recognition

【答案】1.（C）　2.（A）　3.（B）　4.（D）　5.（C）　6.（A）
　　　　7.（B）　8.（C）　9.（D）

VI. 同義字整理：

1. **reliable** ﹝rɪ'laɪəbḷ﹞ *adj.* 可靠的
   - = dependable ﹝dɪ'pɛndəbḷ﹞
   - = trustworthy ﹝'trʌst͵wɝðɪ﹞
   - = faithful ﹝'feθfəl﹞

2. **remarkable** ﹝rɪ'mɑrkəbḷ﹞ *adj.* 出色的
   - = outstanding ﹝'aʊt'stændɪŋ﹞
   - = impressive ﹝ɪm'prɛsɪv﹞
   - = distinguished ﹝dɪ'stɪŋgwɪʃt﹞
   - = notable ﹝'notəbḷ﹞

3. **reasonable** ﹝'riznəbḷ﹞ *adj.* 合理的；懂道理的
   - = sensible ﹝'sɛnsəbḷ﹞
   - = rational ﹝'ræʃənḷ﹞
   - = logical ﹝'lɑdʒɪkḷ﹞

4. **respectable** ﹝rɪ'spɛktəbḷ﹞ *adj.* 可敬的
   - = honorable ﹝'ɑnərəbḷ﹞
   - = proper ﹝'prɑpɚ﹞
   - = decent ﹝'disṇt﹞

5. **respectful** ﹝rɪ'spɛktfəl﹞ *adj.* 恭敬的
   - = polite ﹝pə'laɪt﹞
   - = courteous ﹝'kɝtɪəs﹞
   - = civil ﹝'sɪvḷ﹞
   - = well-mannered ﹝'wɛl'mænɚd﹞

6. **responsible** ﹝rɪ'spɑnsəbḷ﹞ *adj.* 負責任的
   - = accountable ﹝ə'kaʊntəbḷ﹞
   - = conscientious ﹝͵kɑnʃɪ'ɛnʃəs﹞
   - = in charge
   - = under obligation

7. **radiate** ﹝'redɪ͵et﹞ *v.* 輻射；散發
   - = gleam ﹝glim﹞
   - = glitter ﹝'glɪtɚ﹞
   - = shine ﹝ʃaɪn﹞
   - = send out

8. **risk** ﹝rɪsk﹞ *n.* 風險
   - = chance ﹝tʃæns﹞
   - = gamble ﹝'gæmbḷ﹞
   - = venture ﹝'vɛntʃɚ﹞

9. **recognition** ﹝͵rɛkəg'nɪʃən﹞ *n.* 認可
   - = approval ﹝ə'pruvḷ﹞
   - = acceptance ﹝ək'sɛptəns﹞
   - = appreciation ﹝ə͵priʃɪ'eʃən﹞
   - = acknowledgment ﹝ək'nɑlɪdʒmənt﹞

How to Be Popular

17. S (1)

看英文唸出中文	一口氣說九句	看中文唸出英文
sensible[3] 〔ˈsɛnsəbl̩〕*adj.*	Be *sensible*. 要聰明。	明智的 (= *wise*)
sensitive[3] 〔ˈsɛnsətɪv〕*adj.*	*Sensitive*. 要敏感、體貼。	敏感的;體貼的
sexy[3] 〔ˈsɛksɪ〕*adj.*	*Sexy*. 要性感。	性感的

字首都是 se

---

simple[1] 〔ˈsɪmpl̩〕*adj.*	*Simple*. 要純眞。	簡單的
significant[3] 〔sɪgˈnɪfəkənt〕*adj.*	*Significant*. 要做個重要的人。	意義重大的
sincere[3] 〔sɪnˈsɪr〕*adj.*	Deeply *sincere*. 要非常眞誠。	眞誠的

字首都是 si

---

social[2] 〔ˈsoʃəl〕*adj.*	*Social*. 要喜歡交際。	社交的;好交際的
sociable[6] 〔ˈsoʃəbl̩〕*adj.*	*Sociable*. 要善於交際。	善交際的
solid[3] 〔ˈsɑlɪd〕*adj.*	Particularly *solid*. 要特別可靠。	堅固的;可靠的

字首都是 so

I. 背景説明 :

Be sensible. (= *Be wise.*) 可説成 : *Be sensible* and reasonable. (要聰明又明理。) *Be a sensible* person. (要做一個明智的人。) *Sensitive.* (= *Be sensitive.*) Be *sensitive* and compassionate. (要敏感，有同情心。) Be *sensitive* to the needs of others. (對別人的需要要敏感。) sensitive 的主要意思是「敏感的」，有正面和反面的意思，在這裡是指「體貼的」(= *thoughtful*)。【詳見 Collins Thesaurus p.630】 *Sexy.* (= *Be sexy.*) Be a *sexy* person. (要做一個性感的人。) 中國人對 sexy 這個字有負面的想法，但美國人常説。Be *sexy* and seductive. (要性感，誘惑人。)

Simple. (= *Be simple.*) Have a *simple* character. (要有純真的個性。) Keep your life *simple*. (要使你的生活保持簡單。) *Significant.* (= *Be significant.*) Be a *significant* person in your field. (在你的領域中，要做一個重要的人。) Make a *significant* contribution. (要有重要的貢獻。) *Deeply sincere.* (= *Be deeply sincere.*) Be *deeply sincere* and earnest. (要非常真誠又認真。) Be *deeply sincere* and honest. (要非常真誠又誠實。)

Social. (= *Be social.*) Be a *social* person. (要做一個喜歡交際的人。) Cherish your *social* life. (要珍惜你的社交生活。) social 的意思有 :「社會的；社交的；好交際的」。*Sociable.* (= *Be sociable.*) Be a *sociable* person. (要做一個善於交際的人。) Be *sociable* and friendly. (要善於交際又友善。) *Particularly solid.* (= *Be particularly solid.*) Have a *particularly solid* character. (要有特別可靠的個性。) Be *particularly solid* and reliable. (要特別可靠。) solid 的意思有 :「固體的；堅固的；可靠的」。

II. 英語演講：

【一字英語演講】　　【短篇英語演講】

My dearest friends:　　*My dearest friends:* 我最親愛的朋友們：

Be sensible.　　*Be sensible* and reasonable. 要聰明又明理。

Sensitive.　　Be *sensitive* to the needs of others.

Sexy.　　對別人的需要要敏感。

　　Be a *sexy* person. 要做一個性感的人。

Simple.　　Keep your life *simple*. 要使你的生活保持簡單。

Significant.　　Make a *significant* contribution. 要有重要的貢獻。

Deeply sincere.　　Be *deeply sincere* and earnest. 要非常真誠又認真。

Social.　　Be a *social* person. 要做一個喜歡交際的人。

Sociable.　　Be *sociable* and friendly. 要善於交際又友善。

Particularly solid.　　Have a *particularly solid* character.

This is what it takes　　要有特別可靠的個性。

to be popular.　　*This is what it takes to be popular*.

　　這就是受人歡迎的必備條件。

III. 短篇作文：

What It Takes to Be Popular

　　Do you have what it takes to be popular? Some tried and true methods are available to you. *For starters*, *be* a *sensible* person. Be *sensitive* and compassionate. Be *sexy* and seductive. *Besides*, have a *simple* character. Do something *significant*. Be *deeply sincere* and honest. *Likewise*, cherish your *social* life. Be a *sociable* person. Be *particularly solid* and reliable, and you will have what it takes to be popular.

受人歡迎的必備條件

你有受人歡迎的必備條件嗎？現在有一些經過試驗，證實有效的方法。首先，要做一個明智的人。要敏感，有同情心。要性感，誘惑人。此外，要有純眞的個性。要做重要的事。要非常眞誠又誠實。同樣地，要珍惜你的社交生活。要做一個善於交際的人。如果你特別可靠，那你就擁有受人歡迎必備的條件。

IV. 填空：

Be ___1___ and reasonable and people will like you. Be ___2___ to the needs of others. Be a ___3___ person.

Keep your life ___4___ and uncomplicated. Make a ___5___ contribution whenever you can. Be deeply ___6___ and earnest and earn our trust.

Be a ___7___ person, always on the go. Be ___8___ and friendly. Have a particularly ___9___ character that we can count on, and popularity will follow.

要聰明又明理，這樣人們就會喜歡你。對別人的需求要敏感。要做一個性感的人。

要使你的生活保持簡單，不複雜。每當你有機會，就要有重要的貢獻。要非常眞誠又認眞，贏得我們的信任。

要做一個喜愛交際的人，總是非常忙碌。要善於交際又友善。如果你有我們可以依賴的，特別可靠的個性，你就會受人歡迎。

【解答】 1. sensible　2. sensitive　3. sexy　4. simple
　　　　 5. significant　6. sincere　7. social
　　　　 8. sociable　9. solid
　　　　 * uncomplicated〔ʌnˋkɑmpləˌketɪd〕*adj.* 不複雜的
　　　　　 count on 依賴　***on the go*** 非常忙碌
　　　　　 follow〔ˋfalo〕*v.* 接著發生；隨之而來

V. 詞彙題：

Directions: *Choose the one word that best completes the sentence.*

1. You won't be sorry for making _____ choices.
   (A) senior　(B) scenic　(C) sensible　(D) stubborn

2. Be _____ to the needs of others.
   (A) scientific　(B) scary　(C) sensitive　(D) sacred

3. Turn heads with a _____ and seductive manner.
   (A) stationary　(B) sexy　(C) secondary　(D) statistical

4. Keep your life _____ and live without regret.
   (A) sympathetic　(B) simple　(C) stingy　(D) supreme

5. Make a _____ contribution to any interaction.
   (A) severe　(B) supersonic　(C) square　(D) significant

6. Everybody likes a deeply _____ and honest person.
   (A) sincere　(B) stale　(C) sticky　(D) successive

7. Cherish your _____ life and mingle regularly.
   (A) social　(B) scarce　(C) sentimental　(D) spare

8. People are drawn to your _____ and friendly personality.
   (A) spacious　(B) sorrowful　(C) solemn　(D) sociable

9. Build your popularity on a particularly _____ character.
   (A) sufficient　(B) spiral　(C) sanitary　(D) solid

【答案】1.（C）　2.（C）　3.（B）　4.（B）　5.（D）　6.（A）
　　　　7.（A）　8.（D）　9.（D）

VI. 同義字整理：

1. **sensible** ('sɛnsəbḷ) *adj.* 明智的
   = wise (waɪz)
   = intelligent (ɪn'tɛlədʒənt)
   = rational ('ræʃənḷ)
   = reasonable ('riznəbḷ)

2. **sensitive** ('sɛnsətɪv) *adj.* 敏感的；體貼的
   = thoughtful ('θɔtfəl)
   = considerate (kən'sɪdərɪt)
   = understanding (ˌʌndə'stændɪŋ)

3. **sexy** ('sɛksɪ) *adj.* 性感的
   = sensual ('sɛnʃuəl)
   = inviting (ɪn'vaɪtɪŋ)
   = arousing (ə'rauzɪŋ)
   = seductive (sɪ'dʌktɪv)

4. **simple** ('sɪmpḷ) *adj.* 簡單的；純真的
   = pure (pjʊr)
   = natural ('nætʃərəl)
   = sincere (sɪn'sɪr)
   = uncomplicated (ʌn'kɑmpləˌketɪd)

5. **significant** (sɪg'nɪfəkənt) *adj.* 意義重大的；重要的
   = meaningful ('minɪŋfəl)
   = important (ɪm'pɔrtṇt)
   = vital ('vaɪtḷ)

6. **sincere** (sɪn'sɪr) *adj.* 眞誠的
   = genuine ('dʒɛnjuɪn)
   = honest ('ɑnɪst)
   = earnest ('ɜnɪst)

7. **social** ('soʃəl) *adj.* 好交際的；合群的
   = sociable ('soʃəbḷ)
   = friendly ('frɛndlɪ)
   = neighborly ('nebəlɪ)

8. **sociable** ('soʃəbḷ) *adj.* 善交際的；有人緣的
   = social ('soʃəl)
   = warm (wɔrm)
   = friendly ('frɛndlɪ)

   = outgoing ('autˌgoɪŋ)
   = accessible (æk'sɛsəbḷ)

9. **solid** ('sɑlɪd) *adj.* 堅固的；可靠的
   = reliable (rɪ'laɪəbḷ)
   = dependable (dɪ'pɛndəbḷ)
   = trusty ('trʌstɪ)

How to Be Popular

18. S (2)

看英文唸出中文	一口氣說九句	看中文唸出英文
smile[1] 〔 smaɪl 〕*v.*	三個都是動詞 **Smile.** 要微笑。	微笑
shine[1] 〔 ʃaɪn 〕*v.*	**Shine.** 要發光發亮。　字首是 Sh	發光；發亮
show[1] 〔 ʃo 〕*v.*	**Show** your best. 要表現出最好的一面。	表現
special[1] 〔 'spɛʃəl 〕*adj.*	字首都是 sp Be *special.* 要很特別。	特別的
spectacular[6] 〔 spɛk'tækjələ 〕*adj.*	*Spectacular.* 要引人注目。	壯觀的
spontaneous[6] 〔 spɑn'tenɪəs 〕*adj.*	*Spontaneous.* 要自動自發。	自動自發的
skillful[2] 〔 'skɪlfəl 〕*adj.*	*Skillful.* 要有專業技術。　字尾是 ful	熟練的
successful[2] 〔 sək'sɛsfəl 〕*adj.*	*Successful.* 要成功。	成功的
straightforward[5] 〔 ˌstret'fɔrwəd 〕*adj.*	Very *straightforward.* 要非常直率。	直率的

I. 背景説明：

Smile. 可説成：Always be *smiling*. （永遠要微笑。）Let's
see that *smile*. （讓我們看到微笑；要常常笑。）(= *Smile often.*)
Shine. 可説成：*Shine* like the sun. （要像太陽一樣發光。）Let
your positive energy *shine*. （讓你的正能量發出光芒。）
Show your best. 可説成：*Show* what you have. （要告訴大家你
有什麼。）*Show* people what you can do. （要告訴大家你能做
什麼。）

Be special. 可説成：*Be special* and unique. （要特別，獨
一無二。）Have a *special* attitude. （要有特別的態度。）
Spectacular. (= *Be spectacular.*) Be a *spectacular* individual.
（要做一個引人注目的人。）Be outstanding and *spectacular*.
（要傑出，引人注目。）*Spontaneous.* (= *Be spontaneous.*)
Be a *spontaneous* person. （要做一個自動自發的人。）(= *Be
willing to do anything at any time.*) Be *spontaneous* and
carefree. （要自自然然，無憂無慮。）

Skillful. (= *Be skillful.*) Be *skillful*
and competent. （要既有專業技術又能幹。）
Be a *skillful* worker. （要做一個有專業技
術的工作者。）(= *Be a skilled worker.*)

Successful. (= *Be successful.*) Be smart and *successful*. （要
聰明又成功。）Be a *successful* person. （要做一個成功的人。）
Very straightforward. (= *Be very straightforward.*) Be *very
straightforward* and direct. （要非常直率，有話直說。）Have
a *very straightforward* attitude. （要有非常直率的態度。）

II. 英語演講：

【一字英語演講】	【短篇英語演講】
Here are nine steps to popularity:	*Here are nine steps to popularity:* 以下是受人歡迎的九個步驟：
Smile. *Shine.* *Show your best.*	Let's see that *smile*. 要常常微笑。 Let your positive energy *shine*. 要讓你的正能量發出光芒。 *Show your best* side to the world. 要向全世界展現你最好的一面。
Be special. *Spectacular.* *Spontaneous.*	Have a *special* attitude. 要有特別的態度。 Be outstanding and *spectacular*. 要傑出，引人注目。 Be a *spontaneous* person. 要做一個自動自發的人。
Skillful. *Successful.* *Very straightforward.*	Be a *skillful* worker. 要做一個有專業技術的工作者。 Be smart and *successful*. 要聰明又成功。 Have a *very straightforward* attitude. 要有非常直率的態度。
Popularity is guaranteed.	*Popularity is guaranteed.* 保證一定會受人歡迎。

III. 短篇作文：

Nine Steps to Popularity

You want to be popular, but did you know there are nine steps you can take? Step one: Always be *smiling*. Step two: *Shine* like the sun. Step three: *Show* people what you have. *Next*, step four: Be *special* and unique. Step five: Be a *spectacular* individual. Step six: Be *spontaneous* and carefree. *After that*, step seven: Be *skillful* and competent. Step eight: Be a *successful* person. *Finally*, step nine: Be *very straightforward* and direct, and you're definitely going to be a popular person.

受人歡迎的九個步驟

你想受人歡迎，但是你知道你可以採取九個步驟嗎？第一步：要一直保持微笑。第二步：要像太陽一樣發光。第三步：要告訴大家你有什麼。接下來，第四步：要特別，獨一無二。第五步：要做一個引人注目的人。第六步：要自然然，無憂無慮。再來是第七步：要既有專業技術又能幹。第八步：要做一個成功的人。最後，第九步：要非常直率，有話直說，那麼你一定會成爲受歡迎的人。

* unique〔ju'nik〕*adj.* 獨特的　　competent〔'kɑmpətənt〕*adj.* 能幹的
definitely〔'dɛfənɪtlɪ〕*adv.* 確定地

IV. 填空：

Let's see that ___1___! Let your positive energy ___2___. ___3___ us what you can do.

Have a ___4___ attitude. Be outstanding and ___5___. Be a ___6___ person, willing to try new things.

Be a ___7___ worker and you'll be showered with praise. Be smart and ___8___. Have a very ___9___ attitude.

要常常微笑！要讓你的正能量發出光芒。要告訴我們你能做什麼。

要有特別的態度。要傑出，引人注目。要做一個自動自發的人，願意嘗試新的事物。

做一個有專業技術的工作者，你就會獲得許多讚美。要聰明又成功。要有非常直率的態度。

【解答】 1. smile　2. shine　3. Show　4. special
　　　　　5. spectacular　6. spontaneous　7. skillful
　　　　　8. successful　9. straightforward
　　　　　* shower〔'ʃauɚ〕*v.* 大量給予

V. 詞彙題：

Directions: Choose the one word that best completes the sentence.

1. No one can resist a person who is always _____.
   (A) shrinking   (B) shaving   (C) shivering   (D) smiling

2. Let your positive energy _____ for all to see.
   (A) slide   (B) shrug   (C) shine   (D) shriek

3. Don't hesitate to _____ people what you can do.
   (A) show   (B) sharpen   (C) settle   (D) shorten

4. Believe that you are _____ and others will see it, too.
   (A) solitary   (B) sneaky   (C) special   (D) slight

5. Do something _____ and gain recognition.
   (A) silent   (B) spectacular   (C) silly   (D) slender

6. Life will be full of surprises if you're _____ and carefree.
   (A) spontaneous   (B) savage   (C) sleepy   (D) solar

7. Every company in the world is seeking a _____ worker.
   (A) shabby   (B) shallow   (C) skillful   (D) skeptical

8. Everybody wants to be associated with a _____ person.
   (A) shameful   (B) sloppy   (C) shady   (D) successful

9. Lead by example by having a very _____ attitude.
   (A) simultaneous   (B) straightforward   (C) slippery
   (D) shortsighted

【答案】 1.(D)　2.(C)　3.(A)　4.(C)　5.(B)　6.(A)
　　　　 7.(C)　8.(D)　9.(B)

VI. 同義字整理：

1. **smile** 〔 smaɪl 〕 *v.* 微笑
   - = grin 〔 grɪn 〕
   - = beam 〔 bim 〕
   - = twinkle 〔'twɪŋkl̩ 〕

2. **shine** 〔 ʃaɪn 〕 *v.* 發光；發亮
   - = gleam 〔 glim 〕
   - = glow 〔 glo 〕
   - = glitter 〔'glɪtɚ 〕

   - = sparkle 〔'spɑrkl̩ 〕
   - = radiate 〔'redɪ,et 〕

3. **show** 〔 ʃo 〕 *v.* 表現
   - = display 〔 dɪ'sple 〕
   - = exhibit 〔 ɪg'zɪbɪt 〕
   - = present 〔 prɪ'zɛnt 〕

4. **special** 〔'spɛʃəl 〕 *adj.* 特別的
   - = unusual 〔 ʌn'juʒuəl 〕
   - = particular 〔 pɚ'tɪkjəlɚ 〕
   - = extraordinary
     〔 ɪk'strɔrdn̩,ɛrɪ 〕

   - = exceptional
     〔 ɪk'sɛpʃənl̩ 〕
   - = unique 〔 ju'nik 〕

5. **spectacular** 〔 spɛk'tækjəlɚ 〕
   adj. 壯觀的；引人注目的

   - = remarkable 〔 rɪ'mɑrkəbl̩ 〕
   - = magnificent 〔 mæg'nɪfəsn̩t 〕
   - = dazzling 〔'dæzl̩ɪŋ 〕
   - = impressive 〔 ɪm'prɛsɪv 〕

6. **spontaneous** 〔 spɑn'tenɪəs 〕
   adj. 自動自發的；自然的
   - = natural 〔'nætʃərəl 〕
   - = instinctive 〔 ɪn'stɪŋktɪv 〕
   - = unplanned 〔 ʌn'plænd 〕
   - = unprompted 〔 ʌn'prɑmptɪd 〕

7. **skillful** 〔'skɪlfəl 〕 *adj.* 熟練的；
   有技術的
   - = skilled 〔 skɪld 〕
   - = adept 〔 ə'dɛpt 〕
   - = expert 〔'ɛkspɝt 〕
   - = proficient 〔 prə'fɪʃənt 〕

8. **successful** 〔 sək'sɛsfəl 〕 *adj.*
   成功的
   - = thriving 〔'θraɪvɪŋ 〕
   - = prosperous 〔'prɑspərəs 〕
   - = acknowledged 〔 ək'nɑlɪdʒd 〕

9. **straightforward**
   〔,stret'fɔrwɚd 〕 *adj.* 直率的
   - = honest 〔'ɑnɪst 〕
   - = direct 〔 də'rɛkt 〕
   - = truthful 〔'truθfəl 〕
   - = upfront 〔'ʌp,frʌnt 〕

How to Be Popular

19. S (3)

看英文唸出中文	一口氣說九句	看中文唸出英文
seek³ 〔 sik 〕*v.*	字首是 Se	***Seek.*** 要尋找你所要的。	尋找
serve¹ 〔 sɝv 〕*v.*		***Serve.*** 要提供服務。	服務
satisfy² 〔'sætɪs,faɪ〕*v.*		***Satisfy.*** 要令人滿意。	使滿意

sparkle⁴ 〔'spɑrkḷ〕*v.*	兩短一長	***Sparkle.*** 要發光、發亮。	閃耀
socialize⁶ 〔'soʃəl,aɪz〕*v.*		***Socialize.*** 要會交際。	交際
succeed² 〔sək'sid〕*v.*		Truly ***succeed.*** 要真正地成功。	成功

soul¹ 〔sol〕*n.*	三個名詞	Have ***soul.*** 要有靈魂。	靈魂
strength³ 〔strɛŋθ〕*n.*		***Strength.*** 要有力量。	力量
substance³ 〔'sʌbstəns〕*n.*		***Substance.*** 要有實質的東西。	實質

I. 背景說明：

Seek. (= *Look for*. = *Go after*.) 源自 *Seek* what you want. (尋找你所要的。) 可說成：*Seek* friends. (要尋找朋友。) *Seek* new acquaintances. (要認識新朋友。)

【acquaintance〔əˈkwɛntəns〕*n*. 認識的人】*Serve*. 可說成：*Serve* others. (要為他人服務。) *Serve* the situation. (提供目前所需要的服務。)(= *Provide what is necessary now*.) 這是慣用句。例如，天花板漏水了，你就要去拿拖把。

(*If there is water coming down from the ceiling, go get a mop*.) *Satisfy*. 可說成：*Satisfy* needs. (要滿足需要。) *Satisfy* the audience. (要滿足觀眾的需要。)

Sparkle. 可說成：*Sparkle* with enthusiasm. (要散發出充滿熱忱的光芒。)(= *Glow with enthusiasm*.) Popular people *sparkle* with charm. (受歡迎的人會因為有魅力而閃閃發光。) *Socialize*. 可說成：Get out there and *socialize*. (到外面去交際交際。) Make *socializing* a priority. (將交際列為第一優先。) *Truly succeed*. 可說成：Dare to *truly succeed*. (要勇於追求真正的成功。) Strive to *truly succeed*. (要努力追求真正的成功。)

Have soul. 可說成：*Have* depth and *soul*. (要有深度和靈魂。) Put your heart and *soul* into everything you do. (做什麼事都要全心全意。) heart and soul 字面的意思

是「心和靈魂」，引申為「全心全意」。*Strength.* (= *Have strength.*) Have **strength** and courage. (要有力量和勇氣。) Use your **strength** to overcome fears. (要用你的力量克服恐懼。) *Substance.* (= *Have substance.*) substance 的意思有「物質；重要性；實質；真相」。Have **substance.** 字面的意思是「要有物質。」引申為「要有料、有內涵，有實質的東西，有錢有勢。」不是虛有其表或幻想。Be a person of **substance**, not fantasy. (要做一個有料的人，不是幻想。) Do something of **substance**. (要做一點實質的事；要做一點重要的事。) (= *Do something of importance.*)

Greetings, all:

Seek.
Serve.
Satisfy.

Sparkle.
Socialize.
Truly succeed.

Have soul.
Strength.
Substance.

Get in the habit of doing this, and you'll be popular.

II. 短篇英語演講：

Greetings, all: 大家好：

Seek friends. 要尋找朋友。
Serve others. 要爲他人服務。
Satisfy needs. 要滿足需要。

Sparkle with enthusiasm. 要散發出充滿熱忱的光芒。
Get out there and *socialize.* 到外面去交際交際。
Dare to *truly succeed.* 要勇於追求眞正的成功。

Have depth and *soul.* 要有深度和靈魂。
Have *strength* and courage. 要有力量和勇氣。
Be a person of *substance.* 要做一個有料的人。

Get in the habit of doing this, and you'll be popular.
如果養成這麼做的習慣，你就會受人歡迎。

III. 短篇作文：

Habits of Popular People

Popular people have particular habits that make them so
appealing. *First*, they're always *seeking* new acquaintances.
They *serve* the situation and always strive to *truly succeed.*
Meanwhile, they *satisfy* their audience by *sparkling* with
charm. They also make *socializing* a priority. *At the same time*,
popular people always put their heart and *soul* into everything
they do. They use their *strength* to overcome fears. *Last but
not least*, they are people of *substance* and character—and
that's why they're popular.

受歡迎的人的習慣

　　受歡迎的人有特別的習慣，使他們非常吸引人。首先，他們總是會設法認識新朋友。他們會提供目前所需要的服務，並總是努力追求眞正的成功。同時，他們會因爲魅力而閃閃發光，滿足觀衆。他們也會將交際列爲第一優先。同時，受歡迎的人做什麼事都會全心全意。他們會用自己的力量克服恐懼。最後一項要點是，他們是有料而且有個性的人——那就是他們受人歡迎的原因。

　　* charm〔tʃɑrm〕*n.* 魅力　　priority〔praɪˈɔrətɪ〕*n.* 優先事項
　　　overcome〔͵ovəˈkʌm〕*v.* 克服

IV. 填空：

　　　__1__ friends from various backgrounds and cultures.
Take care of others before you __2__ yourself. __3__ the
needs of important people.

　　　　__4__ with enthusiasm for whatever you're doing. Get out
there and __5__. Dare to truly __6__ where others have failed.

　　　Have depth and __7__ that comes from experience. Have
__8__ and courage. Be a person of __9__ and be popular.

　　要尋求來自各種不同背景和文化的朋友。在服務自己之前，要先照顧別人。要滿足重要人物的需求。

　　對於你正在做的任何事，都要散發出充滿熱忱的光芒。要到外面去交際交際。要勇於在別人失敗的地方，追求眞正的成功。

　　要有來自於經驗的深度和靈魂。要有力量和勇氣。要做一個有料的人，並且受人歡迎。

【解答】 1. Seek　2. serve　3. Satisfy　4. Sparkle　5. socialize
　　　　6. succeed　7. soul　8. strength　9. substance
　　　* various〔ˈvɛrɪəs〕*adj.* 各種不同的
　　　　background〔ˈbæk͵graʊnd〕*n.* 背景
　　　　enthusiasm〔ɪnˈθjuzɪ͵æzəm〕*n.* 熱忱　　dare〔dɛr〕*v.* 敢

V. 詞彙題：

Directions: *Choose the one word that best completes the sentence.*

1. _____ new acquaintances, challenges, and experiences.
   (A) Seek   (B) Seem   (C) Separate   (D) Sew

2. We need more people who _____ the common good.
   (A) shatter   (B) serve   (C) spray   (D) subscribe

3. Do your best to _____ the audience.
   (A) satisfy   (B) sacrifice   (C) scramble   (D) scrape

4. Popular people _____ with charm.
   (A) survey   (B) sweat   (C) supervise   (D) sparkle

5. To increase your circle of friends, make _____ a priority.
   (A) suspecting   (B) socializing   (C) sneezing
   (D) splashing

6. Never stop striving to truly _____.
   (A) swear   (B) suspend   (C) succeed   (D) symbolize

7. Put your heart and _____ into everything you do.
   (A) souvenir   (B) soup   (C) source   (D) soul

8. Use your _____ to overcome fears.
   (A) straw   (B) stream   (C) strength   (D) structure

9. You will be known for having _____ and character.
   (A) submarine   (B) subject   (C) substance   (D) suburbs

【答案】 1. (A)   2. (B)   3. (A)   4. (D)   5. (B)   6. (C)
　　　　 7. (D)   8. (C)   9. (C)

VI. 同義字整理：

1. **seek**〔 sik 〕*v.* 尋找；尋求

   = pursue〔 pɚ'su 〕
   = search for
   = look for

2. **serve**〔 sɝv 〕*v.* 服務

   = assist〔 ə'sɪst 〕
   = provide〔 prə'vaɪd 〕
   = satisfy〔'sætɪs,faɪ 〕

   = work for
   = attend to

3. **satisfy**〔'sætɪs,faɪ 〕*v.* 使滿意

   = please〔 pliz 〕
   = indulge〔 ɪn'dʌldʒ 〕
   = appease〔 ə'piz 〕

4. **sparkle**〔'spɑrkl̩ 〕*v.* 閃耀

   = glow〔 glo 〕
   = gleam〔 glim 〕
   = glitter〔'glɪtɚ 〕
   = shine〔 ʃaɪn 〕

5. **socialize**〔'soʃəl,aɪz 〕*v.* 交際

   = mix〔 mɪks 〕
   = mingle〔'mɪŋgl̩ 〕
   = interact〔,ɪntɚ'ækt 〕

6. **succeed**〔 sək'sid 〕*v.* 成功

   = win〔 wɪn 〕
   = do well
   = make it
   = be successful

7. **soul**〔 sol 〕*n.* 靈魂

   = spirit〔'spɪrɪt 〕
   = essence〔'ɛsn̩s 〕
   = reason〔'rizn̩ 〕
   = intellect〔'ɪntl̩,ɛkt 〕

8. **strength**〔 strɛŋθ 〕*n.* 力量

   = force〔 fors 〕
   = power〔'pauɚ 〕
   = vigor〔'vɪgɚ 〕
   = energy〔'ɛnɚdʒɪ 〕

9. **substance**〔'sʌbstəns 〕*n.*
   物質；實質；重要性

   = importance〔 ɪm'pɔrtn̩s 〕
   = significance〔 sɪg'nɪfəkəns 〕
   = meaningfulness
   〔'minɪŋfəlnɪs 〕

How to Be Popular

20. T

看英文唸出中文	一口氣說九句	看中文唸出英文

teach¹
〔 titʃ 〕 v.

touch¹
〔 tʌtʃ 〕 v.

thrill⁵
〔 θrɪl 〕 v.

三個動詞

Teach.
要教別人。

Touch.
要使人感動。

Thrill others.
要使人興奮。

字尾是 ch

教

使感動

使興奮

---

talkative²
〔 ˈtɔkətɪv 〕 adj.

terrific²
〔 təˈrɪfɪk 〕 adj.

thoughtful⁴
〔 ˈθɔtfəl 〕 adj.

三個形容詞

Be *talkative.*
要愛說話。

Terrific.
要做一個很好的人。

Very *thoughtful.*
要非常體貼。

愛說話的

很棒的

體貼的

---

tolerant⁴
〔 ˈtɑlərənt 〕 adj.

trustworthy
〔 ˈtrʌst,wɝðɪ 〕 adj.

team²
〔 tim 〕 n.

兩短一長

Tolerant.
要寬容。

Trustworthy.
要值得信任。

A *team* player.
要有團隊精神。

寬容的

值得信任的

隊伍

I. 背景說明：

　　Teach. 可說成：*Teach* others.（要教別人。）*Teach* people to be kind.（教別人要仁慈。）*Touch*. 可說成：*Touch* people with your words.（要用你的言語讓人感動。）*Touch* people with your actions.（要用你的行動讓人感動。）*Thrill others*. 可說成：Try to *thrill* people around you.（儘量讓周圍的人興奮。）Be *thrilling*.（要令人興奮。）

　　Be talkative. 可說成：*Be* a *talkative* person.（要做一個喜歡說話的人。）*Be talkative* and chatty.（要喜歡聊天。）【chatty〔ˈtʃætɪ〕*adj.* 愛說話的；愛閒聊的】*Terrific*.（= *Be terrific*.）字面的意思是「要極好。」引申為「要做一個很好的人。」Have a *terrific* attitude.（要有很好的態度。）Have a *terrific* smile.（要有很棒的笑容。）*Very thoughtful*.（= *Be very thoughtful*.）Be *very thoughtful* and considerate.（要非常體貼。）Be a *very thoughtful* person.（要做一個非常體貼的人。）

　　Tolerant.（= *Be tolerant*.）Be *tolerant* and forgiving.（要寬容和原諒。）Be *tolerant* and understanding.（要寬容和體諒。）*Trustworthy*.（= *Be trustworthy*.）Be a *trustworthy* person.（要做一個值得信任的人。）Show people you are *trustworthy*.（告訴大家你是值得信任的。）*A team player*.（= *Be a team player*.）a team player 字面的意思是「一個球隊的球員」，引申為「有團隊精神的人」。There's no "I" in *team*.（只有團隊，沒有個人。）【注意：不能寫成 *on the team*】Be a part of the *team*.（要做團隊的一份子。）Be a *team* leader.（要做團隊的領袖。）

II. 英語演講：

【一字英語演講】

Hello, *everybody:*

Teach.
Touch.
Thrill others.

Be talkative.
Terrific.
Very thoughtful.

Tolerant.
Trustworthy.
A team player.

This is how to
  achieve popularity.

【短篇英語演講】

Hello, *everybody:* 大家好：

Teach people to be kind. 教別人要仁慈。
Touch people with your actions.
要用你的行動讓人感動。
Try to *thrill others*. 儘量讓別人興奮。

Be a *talkative* person. 要做一個喜歡說話的人。
Have a *terrific* smile. 要有很棒的笑容。
Be *very thoughtful* and considerate.
要非常體貼。

Be *tolerant* and understanding. 要寬容和體諒。
Be a *trustworthy* person.
要做一個值得信任的人。
Be *a team player*. 要做一個有團隊精神的人。

This is how to achieve popularity.
這就是如何受人歡迎的方法。

III. 短篇作文：

How to Achieve Popularity

You wouldn't be reading this if you didn't want to achieve popularity. Here are some easy ways. *First of all, teach* people to be kind. *Touch* people with your words. *Thrill* the audience with your charm and ingenuity. *Furthermore, be talkative* and chatty. Have a *terrific* attitude. *Likewise*, be a *very thoughtful* person. Be *tolerant* and forgiving. Show people you are *trustworthy*. *Above all*, always be *a team player*, and you'll achieve popularity.

如何受人歡迎

如果你不想受人歡迎，就不會看這篇文章了。以下有一些簡單的方法。首先，教別人要仁慈。要用你的言語讓人感動。要用你的魅力和聰明使觀眾興奮。此外，要喜歡聊天。要有極好的態度。同樣地，要做一個非常體貼的人。要寬容和原諒。告訴大家你是值得信任的。最重要的是，一定要有團隊精神，那樣你就會受人歡迎。

* achieve〔ə'tʃiv〕v.（經努力而）獲得
  charm〔tʃɑrm〕n. 魅力　　ingenuity〔ˌɪndʒə'njuɪtɪ〕n. 聰明

IV. 填空：

The ability to ___1___ others will make you popular. ___2___ their hearts with kindness and warmth. ___3___ people with your magnetism.

Be a ___4___ person, eager to introduce yourself. Have a ___5___ smile. Be very ___6___ and considerate of others.

Be ___7___ and understanding. Be a ___8___ person. Remember, there is no "I" in ___9___.

有能力教導別人，會使你受人歡迎。要用親切和熱情打動他們的心。要用你的魅力使人興奮。

要做一個愛說話的人，很渴望介紹自己。要有很棒的笑容。要非常體貼別人。

要寬容和體諒。要做一個值得信任的人。要記得，只有團隊，沒有個人。

【解答】 1. teach　2. Touch　3. Thrill　4. talkative　5. terrific
　　　　6. thoughtful　7. tolerant　8. trustworthy　9. team
* warmth〔wɔrmθ〕n. 熱情　　*touch* one's *heart* 打動某人的心
  magnetism〔'mægnə,tɪzəm〕n. 魅力
  eager〔'igə〕adj. 渴望的

V. 詞彙題：

Directions: *Choose the one word that best completes the sentence.*

1. _____ people the importance of being nice to each other.
   (A) Tend   (B) Tease   (C) Teach   (D) Tear

2. Reach out and _____ someone with a kind word.
   (A) tighten   (B) terrify   (C) touch   (D) threaten

3. _____ people with your positive and winning attitude.
   (A) Thrill   (B) Tolerate   (C) Torment   (D) Trace

4. Be a _____ person and start up a conversation.
   (A) talkative   (B) tranquil   (C) traditional   (D) timid

5. Impress people with a _____ smile.
   (A) tough   (B) terrific   (C) thrifty   (D) tense

6. Increase your popularity by being a very _____ person.
   (A) tedious   (B) tricky   (C) tentative   (D) thoughtful

7. Turn enemies into allies with a _____ attitude.
   (A) theoretical   (B) thorough   (C) technical   (D) tolerant

8. Show people you are _____.
   (A) theatrical   (B) terminal   (C) trustworthy   (D) textile

9. A _____ player puts the needs of the group before his own.
   (A) team   (B) text   (C) tempest   (D) tempo

【答案】 1. (C)   2. (C)   3. (A)   4. (A)   5. (B)   6. (D)
　　　　 7. (D)   8. (C)   9. (A)

VI. 同義字整理：

1. **teach**〔 titʃ 〕*v.* 教
　= educate〔'ɛdʒə,ket〕
　= enlighten〔ɪn'laɪtn̩〕
　= instruct〔ɪn'strʌkt〕

2. **touch**〔 tʌtʃ 〕*v.* 使感動
　= affect〔ə'fɛkt〕
　= impress〔ɪm'prɛs〕
　= inspire〔ɪn'spaɪr〕
　= influence〔'ɪnfluəns〕

3. **thrill**〔 θrɪl 〕*v.* 使興奮
　= excite〔ɪk'saɪt〕
　= move〔muv〕
　= arouse〔ə'rauz〕
　= stimulate〔'stɪmjə,let〕

4. **talkative**〔'tɔkətɪv〕*adj.* 愛說話的
　= chatty〔'tʃætɪ〕
　= forthcoming〔'fɔrθ'kʌmɪŋ〕
　= conversational〔,kɑnvɚ'seʃən̩l〕

5. **terrific**〔tə'rɪfɪk〕*adj.* 極好的；很棒的
　= great〔gret〕
　= wonderful〔'wʌndɚfəl〕
　= fantastic〔fæn'tæstɪk〕
　= marvelous〔'mɑrvl̩əs〕

6. **thoughtful**〔'θɔtfəl〕*adj.* 體貼的
　= considerate〔kən'sɪdərɪt〕
　= caring〔'kɛrɪŋ〕
　= attentive〔ə'tɛntɪv〕

7. **tolerant**〔'tɑlərənt〕*adj.* 寬容的
　= patient〔'peʃənt〕
　= understanding〔,ʌndɚ'stændɪŋ〕
　= open-minded〔'opən'maɪndɪd〕
　= sympathetic〔,sɪmpə'θɛtɪk〕

8. **trustworthy**〔'trʌst,wɝðɪ〕*adj.* 值得信任的
　= reliable〔rɪ'laɪəbl̩〕
　= dependable〔dɪ'pɛndəbl̩〕
　= responsible〔rɪ'spɑnsəbl̩〕

9. **a team player** 有團隊精神的人
　= someone who is loyal to the group
　= someone who works well within a group

How to Be Popular

21. Be happy.

（以 Be 開頭的極短句）

看英文唸出中文	一口氣說九句	看中文唸出英文
happy¹ （ˈhæpɪ）*adj.*	**Be *happy*.** 要快樂。	快樂的
curious² （ˈkjurɪəs）*adj.*	***Curious*.** 要好奇。	好奇的
adventurous³ （ədˈvɛntʃərəs）*adj.*	***Adventurous*.** 要喜歡冒險。	愛冒險的

字尾是 ous

easy¹ （ˈizɪ）*adj.*	***Easy* to know.** 要讓人容易認識你。	容易的
eager³ （ˈigɚ）*adj.*	***Eager* to make friends.** 渴望交朋友。	渴望的
quick¹ （kwɪk）*adj.*	***Quick* on your feet.** 反應要快。	快的

字首是 Ea

creative³ （krɪˈetɪv）*adj.*	***Creative*.** 要有創造力。	有創造力的
sharp¹ （ʃɑrp）*adj.*	**A *sharp* dresser.** 要很會穿衣服。	敏銳的
inside and out	**Beautiful *inside and out*.** 要內外皆美。	裡裡外外

A 後面接 B

I. 背景說明：

要讓別人喜歡你，自己一定要快樂。(Be happy.) 要有好奇心。(Be curious.) 什麼都想知道，想看沒看過的電影，想吃沒吃過的東西。還要勇於冒險。(Be adventurous.) 去沒去過的地方，做沒做過的事，知識豐富，別人自然喜歡你。*Be happy.* 可說成：*Be a happy* person. (要做一個快樂的人。) *Be happy* to be alive. (活著就要快樂。) *Curious.* (= *Be curious.*) Be *curious* about the world. (要對世界好奇。) Have a *curious* mind. (要有好奇心。) *Adventurous.* (= *Be adventurous.*) Be *adventurous* and daring. (要喜歡冒險又勇敢。) Have an *adventurous* spirit. (要有冒險精神。)

Easy to know. (= *Be easy to know.*) 也就是 Be an accessible person. (要做一個容易親近的人。) Be open and approachable. (要開放又容易接近。)(= *Be an open person.*) *Eager to make friends.* (= *Be eager to make friends.*) 可說成：Be *eager to make* new *friends*. (要渴望結交新朋友。) Be *eager* to meet new people. (要渴望認識新朋友。) *Quick on your feet.* 在此指 Be *quick on your feet.* 有兩個意思，一是字面的意思：「趕快。」(= *Be quick.* = *Hurry up.* = *Move faster.*) 另一個引申的意思是「反應要快。」(= *Have a quick reaction to things.*)

Creative. (= *Be creative.*) Be a *creative* person. (要做一個有創造力的人。) Let your *creative* talent shine. (要讓你有創造力的才能發光、發亮。) *A sharp dresser.* (= *Be a sharp dresser.*) 可說成：Dress to impress. (穿著要令人印象深刻。) Be a fashionable dresser. (穿著要時髦。)【fashionable = sharp】sharp 的意思有：「敏銳的；鋒利的；聰明的；尖的；突然的；急劇的；劇烈的；清晰的；尖刻的；憤怒的；嚴厲的；鮮明的；濃烈的；時髦的；漂亮的」。英文一字多義，一定要從前後句意來判斷它的意思。

Beautiful inside and out. (= *Be beautiful inside and out.*) Be beautiful on the inside and outside. (要有內在美和外在美。) Be beautiful in mind and body. (要身心俱美。)

Students of all ages:

Be happy.
Curious.
Adventurous.

Easy to know.
Eager to make friends.
Quick on your feet.

Creative.
A sharp dresser.
Beautiful inside and out.

This is the way to popularity.

II. 短篇英語演講：

Students of all ages: 各位同學：

Be a *happy* person. 要做一個快樂的人。
Be *curious* about the world. 要對世界好奇。
Have an *adventurous* spirit. 要有冒險精神。

Be *easy* to get to *know*. 要讓人容易認識你。
Be *eager to make friends*. 要渴望交朋友。
Be *quick on your feet*. 反應要快。

Let your *creative* talent shine.
要讓你有創造力的才能發光、發亮。
Be *a sharp dresser*. 穿著要時髦。
Be *beautiful inside and out*. 要內外皆美。

This is the way to popularity. 這就是受人歡迎的方法。

III. 短篇作文：

The Easy Way to Popularity

The way to popularity is pretty simple. *First*, *be* a *happy* person. Have a *curious* mind. Be *adventurous* and daring. *Moreover*, be *easy to know*. Be *eager to make* new *friends*. Be *quick on your feet*. *On top of that*, be a *creative* person. Be *a sharp dresser*. Be *beautiful inside and out*. That's the easy way to popularity.

很容易就受人歡迎的方法

要受人歡迎，方法很簡單。首先，要做一個高興的人。要有好奇心。要喜歡冒險又勇敢。此外，要容易讓人認識你。要渴望結交新朋友。反應要快。此外，要做一個有創造力的人。穿著要時髦。要內外皆美。那就是很容易就能受人歡迎的方法。

　　* pretty〔ˈprɪtɪ〕*adv.* 相當　　daring〔ˈdɛrɪŋ〕*adj.* 勇敢的

IV. 填空：

　　___1___ people always attract a crowd. A ___2___ mind is always learning new information. An ___3___ spirit seeks new experiences.

　　An approachable person is ___4___ to know. Be ___5___ to meet new people. Be ___6___ on your feet, always ready with a witty remark.

　　Let your ___7___ talent shine and people will notice. To attract attention, be a ___8___ dresser. If you're pure in body and mind, you'll be beautiful ___9___.

　　快樂的人總是能吸引一群人。有好奇心會一直學習新的資訊。愛冒險的精神能尋求新的經驗。

　　一個容易親近的人很容易讓人認識。要渴望認識新朋友。反應要快，要能隨時立刻說出風趣的話。

　　讓你有創造力的才能發光、發亮，這樣人們就會注意到。要吸引注意力，穿著就要時髦。如果你身心都很純淨，就會內外皆美。

【解答】 1. Happy　2. curious　3. adventurous
　　　　4. easy　5. eager　6. quick　7. creative
　　　　8. sharp　9. inside and out
　　　　* crowd〔kraʊd〕*n.* 人群　　witty〔ˈwɪtɪ〕*adj.* 風趣的
　　　　remark〔rɪˈmɑrk〕*n.* 話　　pure〔pjʊr〕*adj.* 純粹的

V. 詞彙題：

Directions: *Choose the one word that best completes the sentence.*

1. Spread positive energy with your _____ demeanor.
   (A) depressed　(B) melancholy　(C) happy　(D) gloomy

2. Be _____ to learn more about the world.
   (A) cultural　(B) curious　(C) current　(D) cunning

3. Let your _____ spirit take you to new places.
   (A) monotonous　(B) anonymous　(C) synonymous
   (D) adventurous

4. A popular person is _____ to get to know.
   (A) easy　(B) eccentric　(C) extreme　(D) extra

5. It's important to be _____ to make new friends.
   (A) eventual　(B) evil　(C) eager　(D) eccentric

6. Be _____ on your feet and entertain people.
   (A) quick　(B) sore　(C) broken　(D) slow

7. Find ways to be _____ in all areas of life.
   (A) legislative　(B) narrative　(C) negative　(D) creative

8. Heads turn when a _____ dresser walks by.
   (A) ordinary　(B) sharp　(C) tedious　(D) dreary

9. Popular people are beautiful _____.
   (A) one by one　(B) upside down　(C) inside and out
   (D) time after time

【答案】1.（C）　2.（B）　3.（D）　4.（A）　5.（C）　6.（A）
　　　　7.（D）　8.（B）　9.（C）

VI. 同義字整理：

1. **happy** 〔'hæpɪ〕 *adj.* 快樂的
   - = pleased 〔plizd〕
   - = delighted 〔dɪ'laɪtɪd〕
   - = jolly 〔'dʒɑlɪ〕
   - = joyous 〔'dʒɔɪəs〕
   - = joyful 〔'dʒɔɪfəl〕

2. **curious** 〔'kjʊrɪəs〕 *adj.* 好奇的
   - = inquisitive 〔ɪn'kwɪzətɪv〕
   - = interested 〔'ɪntrɪstɪd〕
   - = inquiring 〔ɪn'kwaɪrɪŋ〕
   - = questioning 〔'kwɛstʃənɪŋ〕

3. **adventurous** 〔əd'vɛntʃərəs〕 *adj.* 愛冒險的
   - = bold 〔bold〕
   - = daring 〔'dɛrɪŋ〕
   - = enterprising 〔'ɛntɚ‚praɪzɪŋ〕

4. **easy** 〔'izɪ〕 *adj.* 容易的
   - = simple 〔'sɪmpl̩〕
   - = effortless 〔'ɛfɚtlɪs〕
   - = not difficult

5. **eager** 〔'igɚ〕 *adj.* 渴望的
   - = keen 〔kin〕
   - = hungry 〔'hʌŋgrɪ〕
   - = thirsty 〔'θɝstɪ〕
   - = enthusiastic 〔ɪn‚θjuzɪ'æstɪk〕

6. **quick** 〔kwɪk〕 *adj.* 快的
   - = fast 〔fæst〕
   - = speedy 〔'spidɪ〕
   - = swift 〔swɪft〕
   - = rapid 〔'ræpɪd〕

7. **creative** 〔krɪ'etɪv〕 *adj.* 有創造力的
   - = inventive 〔ɪn'vɛntɪv〕
   - = ingenious 〔ɪn'dʒinjəs〕
   - = original 〔ə'rɪdʒənl̩〕
   - = inspired 〔ɪn'spaɪrd〕

8. **sharp** 〔ʃɑrp〕 *adj.* 敏銳的；時髦的
   - = keen 〔kin〕
   - = stylish 〔'staɪlɪʃ〕
   - = modern 〔'mɑdən〕
   - = fashionable 〔'fæʃənəbl̩〕

9. **inside and out** 裡裡外外
   - = on the inside and outside
   - = within and without
   - = on both sides

How to Be Popular

22. Be a leader.
（Be a + 名詞）

看英文唸出中文	一口氣說九句	看中文唸出英文
leader[1] （'lidɚ）*n.*	Be a *leader*. 要做個領導者。	領導者
brave[1] （brev）*adj.*	A *brave* soul. 要做個勇敢的人。	勇敢的
action[1] （'ækʃən）*n.*	A part of the *action*. 要參與行動。	行動

都是人

friend[1] （frɛnd）*n.*	A good *friend*. 要做個好朋友。	朋友
host[2] （host）*n.*	A good *host*. 要做個好主人。	主人
law-abiding （'lɔ ə'baɪdɪŋ）*adj.*	A *law-abiding* citizen. 要做個守法的公民。	守法的

都是人

fun[1] （fʌn）*adj.*	A *fun* person. 要做個風趣的人。	有趣的
people person	A *people person*. 要做個有親和力的人。	有親和力的人
spectator[5] （'spɛktetɚ）*v.*	A participant, not a *spectator*. 要做個參與者，而不是旁觀者。	觀眾

兩短一長

I. 背景說明：

　　Be a leader. 可說成：*Be a* team *leader.*（做一個團隊的領導者。）*Be a* strong *leader.*（做一個堅強的領導者。）*A brave soul.*（= *Be a brave soul.*）句中的 soul，主要意思是「靈魂」，在此作「人」解。可說成：Be courageous.（要有勇氣。）Have a brave heart.（要有勇氣。）*A part of the action.*（= *Be a part of the action.*）字面的意思是「要做為行動的一部份。」也就是「要參與行動。」（= *Get involved in what's happening.*）Be active.（要活躍。）表示要參與活動。

　　A good friend.（= *Be a good friend.*）可加長為：Be *a good* and loyal *friend.*（要做一個忠實的好朋友。）Be a trusted companion.（要做一個值得信任的同伴。）【trusted = trustworthy】Be someone to count on.（要做一個可靠的人。）【count on = depend on】*A good host.*（= *Be a good host.*）Be a gracious *host.*（要做一個親切的主人。）Be a warm and welcoming *host.*（要做一個熱情又好客的主人。）【welcoming〔'wɛlkəmɪŋ〕*adj.* 熱情的；好客的】*A law-abiding citizen.*（= *Be a law-abiding citizen.*）Obey the laws.（要遵守法律。）Be obedient and *law-abiding*.（要非常守法。）【在此 obedient 等於 law-abiding】Abide by the law.（要遵守法律。）【*abide by* 遵守】

A fun person. (= *Be a fun person.*) 可說成：Be *fun* to be around. (要有你在就有趣。) (= *Be someone people like to spend time with.*) Be a lively character. (要做一個活躍的人。)
【lively〔ˈlaɪvlɪ〕*adj.* 精力充沛的；活躍的；活潑的】吃飯的時候，要有一個活躍的人才有意思，否則太沈悶、尷尬、無趣。

A people person. (= *Be a people person.*) people person 是「有親和力的人」(= *someone who enjoys being with other people and easily becomes friends with them*)。Try to be a *people person*. (要努力做個有親和力的人。) *A participant, not a spectator.* (= *Be a participant, not a spectator.*) Don't sit and watch, get involved. (不要坐著看，要參與。)【這是慣用句，中間無連接詞，像 Work hard, play hard, study hard. 一樣，無連接詞。】

Ladies and gentlemen, friends old and new:

Be a leader.
A brave soul.
A part of the action.

A good friend.
A good host.
A law-abiding citizen.

A fun person.
A people person.
A participant, not a spectator.

Popularity is on the way!

II. 短篇英語演講：

***Ladies and gentlemen**, friends old and new:*
各位先生，各位女士，新朋友和老朋友：

Be a strong *leader.* 要做一個堅強的領導者。
Be *a brave soul.* 要做一個勇敢的人。
Be *a part of the action.* 要參與行動。

Be *a good* and loyal *friend.* 要做一個忠實的好朋友。
Be *a good host.* 要做個好主人。
Be *a law-abiding citizen.* 要做個守法的公民。

Be *a fun person.* 要做個風趣的人。
Try to be *a people person.* 要努力做個有親和力的人。
Be *a participant, not a spectator.*
要做個參與者，而不是旁觀者。

Popularity is on the way! 你很快就會受人歡迎！

III. 短篇作文：

Qualities of Popular People

Not all popular people are identical, but they have some things in common. They are team *leaders*. *In fact*, they are the *bravest* people we know. Popular people are *part of the action*. *In addition*, they are *good* and loyal *friends*; we can count on them. They are gracious *hosts*. They are *law-abiding citizens* but still maintain a lively character. They are *fun* to be with. They are *people persons*, too. *Thus*, if you want to achieve popularity, be *a participant, not a spectator*.

受歡迎的人的特質

　　並非所有受歡迎的人都完全相同，但他們卻有一些共同點。他們是團隊的領導者。事實上，他們是我們所認識，最勇敢的人。受歡迎的人會參與行動。此外，他們是忠實的好朋友；我們可以依賴他們。他們是親切的主人。他們是守法的公民，但仍然維持活潑的個性。和他們在一起很有趣。他們也是很有親和力的人。因此，如果你想受人歡迎，就要做個參與者，而不是旁觀者。

*identical〔aɪˈdɛntɪkl̩〕*adj.* 完全相同的
have some things in common 有一些共同點

IV. 填空：

　　A good ____1____ will be popular. ____2____ souls are not afraid to take chances. Popularity means being a part of the ____3____.

　　If you want to be popular, you have to be a good ____4____. Likewise, be a gracious ____5____. Of course, you should always be a ____6____ citizen.

　　A ____7____ person is a joy to be around. A ____8____ is popular because he has a genuine interest in others. Popular people are participants, not ____9____.

　　好的領導者會受人歡迎。勇敢的人不怕冒險。受歡迎意謂著會參與行動。

　　如果你想受人歡迎，就必須是一個好朋友。同樣地，要做一個親切的主人。當然，你應該總是做個守法的公民。

　　風趣的人會讓周圍的人高興。有親和力的人很受歡迎，因爲他們真的對別人有興趣。受歡迎的人是參與者，而不是旁觀者。

【解答】 1. leader　2. Brave　3. action　4. friend　5. host
　　　　6. law-abiding　7. fun　8. people person　9. spectators

take chances 冒險　　joy〔dʒɔɪ〕*n.* 喜悅；令人高興的事物
genuine〔ˈdʒɛnjʊɪn〕*adj.* 真的

V. 詞彙題：

Directions: *Choose the one word that best completes the sentence.*

1. A strong _____ never lacks followers.
   (A) ladder   (B) leader   (C) border   (D) blunder

2. Have a _____ heart to face any challenge.
   (A) timid   (B) cowardly   (C) faint   (D) brave

3. Get involved in what's happening and be part of the _____.
   (A) action   (B) attraction   (C) distraction   (D) faction

4. A good _____ is a trusted companion and someone to count on.
   (A) friend   (B) opponent   (C) rival   (D) foe

5. Popularity comes to a warm and welcoming _____.
   (A) intruder   (B) outsider   (C) toast   (D) host

6. The _____ citizen obeys the laws.
   (A) ceiling   (B) law-abiding   (C) dressing   (D) crossing

7. A fun person with a lively character is _____ to be around.
   (A) mental   (B) fundamental   (C) fun   (D) functional

8. A _____ person genuinely enjoys interacting with others.
   (A) people   (B) gender   (C) thunder   (D) shoulder

9. Don't sit and watch; be a participant, not a _____.
   (A) equator   (B) calculator   (C) elevator   (D) spectator

【答案】1.（B） 2.（D） 3.（A） 4.（A） 5.（D） 6.（B）
　　　 7.（C） 8.（A） 9.（D）

VI. 同義字整理：

1. **leader** (ˈlidɚ) *n.* 領導者
   - = head (hɛd)
   - = chief (tʃif)
   - = director (dəˈrɛktɚ)
   - = supervisor (ˈsupɚˌvaɪzɚ)

2. **brave** (brev) *adj.* 勇敢的
   - = bold (bold)
   - = daring (ˈdɛrɪŋ)
   - = valiant (ˈvæljənt)
   - = courageous (kəˈredʒəs)

3. **action** (ˈækʃən) *n.* 行動
   - = undertaking (ˌʌndɚˈtekɪŋ)
   - = operation (ˌɑpəˈreʃən)
   - = activity (ækˈtɪvətɪ)

4. **friend** (frɛnd) *n.* 朋友
   - = pal (pæl)
   - = buddy (ˈbʌdɪ)
   - = partner (ˈpɑrtnɚ)
   - = companion (kəmˈpænjən)

5. **host** (host) *n.* 主人
   - = proprietor (prəˈpraɪətɚ)
   - = master of ceremonies

6. **law-abiding** (ˈlɔ əˈbaɪdɪŋ) *adj.* 守法的
   - = obedient (əˈbidɪənt)
   - = peaceful (ˈpisfəl)
   - = honorable (ˈɑnərəbl̩)

7. **fun** (fʌn) *adj.* 有趣的
   - = pleasant (ˈplɛznt̩)
   - = enjoyable (ɪnˈdʒɔɪəbl̩)
   - = amusing (əˈmjuzɪŋ)
   - = entertaining (ˌɛntɚˈtenɪŋ)

8. **people person** 有親和力的人
   - = extrovert (ˈɛkstrəˌvɝt)
   - = good mixer
   - = outgoing person
   - = gregarious person

9. **spectator** (ˈspɛktetɚ) *v.* 觀眾；旁觀者
   - = observer (əbˈzɝvɚ)
   - = onlooker (ˈɑnˌlʊkɚ)
   - = bystander (ˈbaɪˌstændɚ)

How to Be Popular

23. 動詞片語 (1)
（依句意排列）

看英文唸出中文	一口氣說九句	看中文唸出英文
indulge[5] (ɪn'dʌldʒ) v.	依句意排列 { ***Indulge* others.** 要溺愛別人。 ***Invite* others to join.** 要邀請別人參加。 Share your ***abundance*.** 分享你所擁有的。 } 字首是 In	縱容 邀請 豐富
invite[3] (ɪn'vaɪt) v.		
abundance[6] (ə'bʌndəns) n.		
defend[4] (dɪ'fɛnd) v.	字首是 De { ***Defend* the weak.** 要保護弱者。 ***Develop* a following.** 要培養一批追隨者。 Entertain the ***audience*.** 要娛樂觀眾。	保衛 培養 觀眾
develop[2] (dɪ'vɛləp) v.		
audience[3] ('ɔdɪəns) n.		
involve[4] (ɪn'valv) v.	G 後面接 H { **Get *involved*.** 要參與。 **Get *recognized*.** 要獲得認可。 ***Honor* your word.** 要實現你的諾言。 } 字尾是 ed	使牽涉 認得 給予榮譽
recognize[3] ('rɛkəg,naɪz) v.		
honor[3] ('anə) v.		

I. 背景說明：

indulge 的意思有：「使沈迷；沈迷於；縱容；放縱；溺愛」。*Indulge others.* 要讓人喜歡，就要縱容、溺愛他人，給他們所要的東西。(Give other people what they want.) Grant any favor asked. (要有求必應。)【gran〔grænt〕*v.* 答應；給予】*Indulge* your friends. (要溺愛你的朋友。) *Invite others to join.* 可說成：Get other people involved. (要讓別人參與。) Bring new people into the group. (要帶新人加入團體。) *Share your abundance.* (= *Share whatever you have a lot of.*) 字面的意思是「你有什麼多的，就要和大家分享。」可說成：Share your money. (有錢大家用。) (= *Share your wealth.*) 簡單地說，就是 Share what you have. (分享你所擁有的。) 如你有好的食物，就要分享給你的朋友。(Share your food.) 你有好的資訊，就要告訴你的朋友。(Share your information.) Don't be stingy. (不要小氣。) (= *Be generous.*)

Defend the weak. 中的 defend，主要意思是「保衛」，在此作「保護」解 (= *protect*)。可說成：Stand up for those who cannot *defend* themselves. (要保護那些無法保護自己的人。) *Develop a following.* 中的 following 是指「一批擁護者；一批追隨者」(= *a group of people who support or admire the work or ideas of a particular person or organization*)。

【比較】

中文：要培養一批追隨者。

英文：*Develop following.*【誤】

Develop followers.【誤】

Develop a following.【正】

Cultivate followers.【正】

英文就是這麼難，差一點就錯，背短句是最好的方法。可說成：Cultivate an audience.（要培養觀衆。）Develop a devoted following.（要培養一批忠實的追隨者。）*Entertain the audience.* 可說成：Be entertaining.（要使人愉快。）Be worth watching.（要值得讓人看。）（= *Be worthy of being watched.*）

Get involved. 可說成：*Get involved* in group activities.（要參與團隊活動。）*Get involved* in a worthy project.（要參與有價值的計劃。）*Get recognized.* 可說成：Seek recognition.（要尋求認可。）Draw attention to yourself.（要吸引大家注意你。）*Honor your word.* 這句話字面的意思是「要給你所說的話榮譽。」引申爲「要實現你的諾言。」（= *Keep your word.* = *Keep your promise.*）word 作「諾言」解，永遠用單數，不可說成：*Honor your words.*【誤】但可說成：**Honor** your promises.（要實現你的諾言。）（= *Keep your promises.*）

II. 英語演講：

【一字英語演講】	【短篇英語演講】
I have some advice for you:	*I have some advice for you:* 我有一些建議要給你們：
Indulge others. *Invite others to join.* *Share your abundance.*	*Indulge* your friends.　要溺愛你的朋友。 *Invite* new people to join the group. 要邀請新人加入團體。 Don't be stingy with your *abundance.* 對你所擁有的不要小氣。
Defend the weak. *Develop a following.* *Entertain the audience.*	Stand up for those who cannot *defend* themselves.　要保護那些無法保護自己的人。 *Develop a following.*　要培養一批追隨者。 *Entertain the audience.*　要娛樂觀眾。
Get involved. *Get recognized.* *Honor your word.*	*Get involved* in a worthy project. 要參與值得的計劃。 *Get recognized* by your peers.　要受到同儕的認可。 *Honor* your commitments.　要實現你的諾言。
You'll be popular.	*You'll be popular.*　你將會受人歡迎。

III. 短篇作文：

Popularity Now

　　It will take some time, but you can become popular if you start right now. *To begin with*, *indulge others* by giving them what they want. *Invite* other people to join the group. *Share your abundance.* *Moreover*, *defend the weak*. *Develop a following*. *Entertain the audience*. *Get involved* in group activities. *Get recognized* by drawing attention to yourself. *Above all*, *honor your word* and be on your way to popularity.

立刻就受人歡迎

這可能需要一些時間,但是如果你現在開始,就可以變得受人歡迎。首先,要溺愛別人,提供他們想要的。邀請別人加入團體。要分享你所擁有的。此外,要保護弱者。要培養一批追隨者。要娛樂觀眾。要參與團體活動。藉由吸引大家注意你,來獲得認可。最重要的是,要實現你的諾言,這樣就能開始受人歡迎。

*draw〔drɔ〕*v.* 吸引

IV. 填空:

To be popular, ___1___ others. ___2___ new people to join the group. Share your ___3___.

Stand up for those who cannot ___4___ themselves. ___5___ a following. Entertain your ___6___.

Get ___7___ in a worthy project. Seek to be ___8___ by your peers. ___9___ your commitments and be popular now.

要受人歡迎,就要溺愛別人。要邀請新人加入團體。要分享你所擁有的。

要保護那些無法保護自己的人。要培養一批追隨者。要娛樂你的觀眾。

要參與值得的計劃。要尋求同儕的認可。如果能實現你的承諾,就會立刻受人歡迎。

【解答】 1. indulge　2. Invite　3. abundance　4. defend
5. Develop　6. audience　7. involved
8. recognized　9. Honor

* ***stand up for*** 支持;捍衛　　peer〔pɪr〕*n.* 同儕;同輩
commitment〔kəˈmɪtmənt〕*n.* 承諾

V. 詞彙題：

Directions: *Choose the one word that best completes the sentence.*

1. _____ others by giving them what they want.
   (A) Discipline   (B) Indulge   (C) Scold   (D) Blame

2. Get other people involved by _____ them to join the group.
   (A) refusing   (B) rejecting   (C) inviting   (D) opposing

3. Don't be stingy with your _____.
   (A) accordance   (B) annoyance   (C) abundance
   (D) attendance

4. _____ those who cannot stand up for themselves.
   (A) Demonstrate   (B) Delay   (C) Demand   (D) Defend

5. Work hard to _____ a loyal following.
   (A) develop   (B) destroy   (C) derive   (D) deter

6. Know what it takes to entertain a(n) _____.
   (A) audience   (B) patience   (C) obedience   (D) violence

7. Don't hesitate to get _____ in a worthy cause.
   (A) revolved   (B) involved   (C) evolved   (D) resolved

8. Stand out from the general public and get _____.
   (A) organized   (B) modernized   (C) recognized
   (D) apologized

9. Be true to your word and _____ your commitments.
   (A) snore   (B) ignore   (C) honk   (D) honor

【答案】1.(B)　2.(C)　3.(C)　4.(D)　5.(A)　6.(A)
　　　　7.(B)　8.(C)　9.(D)

VI. 同義字整理：

1. **indulge** 〔 ɪn'dʌldʒ 〕 v. 縱容；
   溺愛
   - = gratify 〔 'grætə,faɪ 〕
   - = satisfy 〔 'sætɪs,faɪ 〕
   - = cater to
   - = give way to

2. **invite** 〔 ɪn'vaɪt 〕 v. 邀請
   - = ask 〔 æsk 〕
   - = request 〔 rɪ'kwɛst 〕
   - = encourage 〔 ɪn'kɝɪdʒ 〕

3. **abundance** 〔 ə'bʌndəns 〕 n.
   豐富
   - = wealth 〔 wɛlθ 〕
   - = resources 〔 rɪ'sorsɪz 〕
   - = prosperity 〔 prɑs'pɛrətɪ 〕

4. **defend** 〔 dɪ'fɛnd 〕 v. 保衛；保護
   - = protect 〔 prə'tɛkt 〕
   - = guard 〔 gɑrd 〕
   - = look after
   - = advocate for

5. **develop** 〔 dɪ'vɛləp 〕 v. 培養
   - = establish 〔 ə'stæblɪʃ 〕
   - = generate 〔 'dʒɛnə,ret 〕
   - = cultivate 〔 'kʌltə,vet 〕
   - = acquire 〔 ə'kwaɪr 〕

6. **audience** 〔 'ɔdɪəns 〕 n. 觀眾；
   聽眾
   - = spectators 〔 'spɛktetəz 〕
   - = viewers 〔 'vjuəz 〕
   - = listeners 〔 'lɪsṇəz 〕

7. **involve** 〔 ɪn'vɑlv 〕 v. 使牽
   涉；使參與
   - = participate 〔 pɚ'tɪsə,pet 〕
   - = take part

8. **recognize** 〔 'rɛkəg,naɪz 〕 v.
   認得；認可
   - = accept 〔 ək'sɛpt 〕
   - = acknowledge
     〔 ək'nɑlɪdʒ 〕
   - = applaud 〔 ə'plɔd 〕

9. **honor** 〔 'ɑnɚ 〕 v. 給予榮譽；
   實現
   - = respect 〔 rɪ'spɛkt 〕
   - = observe 〔 əb'zɝv 〕
   - = abide by

How to Be Popular

24. 動詞片語 (2)
(依句意排列)

看英文唸出中文	一口氣說九句		看中文唸出英文
friendship[3] (ˈfrɛndˌʃɪp) *n.*	句意相同	Seek *friendship*. 要尋求友誼。	友誼
flash[2] (flæʃ) *v.*		*Flash* a smile. 要馬上給人微笑。	閃現
acquaintance[4] (əˈkwentəns) *n.*		Make new *acquaintances*. 要結交新朋友。	認識的人
at ease	字尾都是 /z/ 的音	Put people *at ease*. 要使人覺得自在。	自在
buzz[3] (bʌz) *n.*		Create a *buzz*. 要創造人氣。	嗡嗡聲
appearance[2] (əˈpɪrəns) *n.*		Maintain your *appearance*. 要維持你的外表。	外表
manners[3] (ˈmænəz) *n. pl.*		Have *manners*. 要有禮貌。	禮貌
example[1] (ɪgˈzæmpḷ) *n.*		Lead by *example*. 要以身作則。	例子;榜樣
practice[1] (ˈpræktɪs) *v.*		*Practice* what you preach. 【諺】要躬行己說。	實行

I. 背景說明:

Seek friendship. 可說成:Seek companionship.(要尋求友誼。)Look for friends.(要尋找朋友。)*Flash a smile.* 字面的意思是「快速展現微笑。」也就是「要馬上給人微笑。」(= *Be quick to smile.*)可說成:Show your *smile*.(要展現你的微笑。)(= *Display your smile.*)*Smile* a lot.(要常微笑。)Have a nice big *smile*.(要有甜美的大微笑。)(= *Show a nice big smile.*)*Make new acquaintances.* 可說成:Meet new people.(要認識新朋友。)Introduce yourself to strangers.(要向陌生人介紹自己。)

Put people at ease. 可說成:Make people feel relaxed around you.(要讓在你身旁的人覺得輕鬆。)(= *Make people feel comfortable around you.*)*Create a buzz.* 字面的意思是「要創造嗡嗡聲。」引申為「要創造人氣。」(= *Create popularity.*)Create enthusiasm.(要創造熱忱。)Get people talking about you.(要讓人談論你。)Generate interest in what you're doing.(要讓人們對你所做的事有興趣。)*Maintain your appearance.* 要讓別人喜歡,你的外表很重要,髒兮兮的外表無人喜歡。可說成:*Maintain* a healthy look.(要維持健康的外表。)*Maintain* your hygiene.(要保持衛生。)

Have manners. 可說成:Be polite and civil.(要很有禮貌。)【civil〔'sɪvl〕*adj.* 文明的;有禮貌的】*Have* good *manners*.(要有好的風度。)manner 是「態度」,manners 的意思有:「風度;禮貌;禮儀;規矩」。example 的意思有:「例子;榜樣;典範」。*Lead by example.* 可說成:Don't talk, just do.(不要只說,要做。)Lead others to success.(要引導別人邁向成功。)*Practice what you preach.* 字面的意思是「要實行你所講的道理。」引申為「要躬行己說。」Do as you say.(要按照你所說的去做。)Don't be a hypocrite.(不要做偽君子。)【hypocrite〔'hɪpə,krɪt〕*n.* 偽君子】

II. 英語演講：

【一字英語演講】

Friends, *I know the way to popularity:*

Seek friendship.
Flash a smile.
Make new acquaintances.

Put people at ease.
Create a buzz.
Maintain your appearance.

Have manners.
Lead by example.
Practice what you preach.

Popularity is available to us all!

【短篇英語演講】

Friends, *I know the way to popularity:*
朋友們，我知道受人歡迎的方法：

Seek out *friendship*.　要尋求友誼。
Flash a nice big *smile*.
要馬上給人甜美的大微笑。
Make many *new acquaintances*.
要結交許多新朋友。

Make people feel *at ease*.　要使人覺得自在。
Generate *a buzz* around you.　要創造人氣。
Take care of *your appearance*.
要照顧自己的外表。

Always mind your *manners*.
一定要注意自己的禮貌。
Lead others *by example*.　要以身作則。
Practice what you're preaching about.
要實行你所講的道理。

Popularity is available to us all!
我們大家都能受人歡迎！

III. 短篇作文：

Popularity for Everyone

Popularity is there for the taking if we *seek friendship*. *To be sure*, *flash a* big *smile* and introduce yourself to new *acquaintances*, and you'll be popular in no time. *What's more*, *make people* feel *at ease* around you. *Create a buzz*. *Maintain your appearance*. *At the same time*, know and use proper *manners*. *Lead by example* and *practice what you preach*. Popularity is within your grasp.

每個人都能受人歡迎

如果我們能尋求友誼，受人歡迎就垂手可得。的確，如果馬上給人大大的微笑，並向新認識的人介紹你自己，你就會立刻受人歡迎。此外，要使周圍的人覺得自在。要創造人氣。要維持你的外表。同時，要知道並運用適當的禮儀。要以身作則，躬行己說。這樣你就可以受人歡迎。

* ***for the taking*** 供自由拿取　　***to be sure*** 的確　　***in no time*** 立刻
grasp〔græsp〕*n.* 抓牢；控制
within *one's* ***grasp*** 為某人可及之處

IV. 填空：

Seek and value ___1___ above anything else. Always ___2___ your brightest smile. Introduce yourself to new ___3___.

Make people feel ___4___ around you. Create a ___5___. Maintain your ___6___ and practice good personal hygiene.

Know and use proper ___7___. Lead by ___8___. ___9___ what you preach and popularity is yours.

要尋求友誼，並且把它看得比任何事物都重要。要總是馬上給人最燦爛的微笑。要向新認識的人介紹你自己。

要讓周圍的人覺得自在。要創造人氣。要維持你的外表，並養成良好的個人衛生習慣。

要知道並運用適當的禮儀。要以身作則。要躬行己說，這樣你就會受人歡迎。

【解答】 1. friendship　 2. flash　 3. acquaintances
4. at ease　 5. buzz　 6. appearance　 7. manners
8. example　 9. Practice
* value〔'væljʊ〕*v.* 重視
practice〔'præktɪs〕*v.* 實行；養成…的習慣
hygiene〔'haɪdʒin〕*n.* 衛生　　preach〔pritʃ〕*v.* 說教

V. 詞彙題：

Directions: *Choose the one word that best completes the sentence.*

1. To be popular, you must seek _____.
   (A) hardship (B) membership (C) scholarship
   (D) friendship

2. Always be the first to _____ a big smile.
   (A) splash (B) flash (C) crash (D) clash

3. Make new _____ by introducing yourself to strangers.
   (A) acquaintances (B) circumstances (C) ambulances
   (D) annoyances

4. A kind word will put people at _____.
   (A) ease (B) disease (C) increase (D) grease

5. Create a _____ and get people talking about you.
   (A) puzzle (B) buzz (C) jazz (D) drizzle

6. Maintain your _____ by practicing good hygiene.
   (A) entrance (B) appearance (C) insurance (D) clearance

7. Always use proper _____ and people will like you.
   (A) winners (B) banners (C) manners (D) beginners

8. Lead by _____ and others will follow.
   (A) maple (B) pimple (C) temple (D) example

9. Be someone who _____ what he preaches.
   (A) practices (B) reaches (C) bleaches (D) attaches

【答案】1.（D） 2.（B） 3.（A） 4.（A） 5.（B） 6.（B）
　　　　7.（C） 8.（D） 9.（A）

VI. 同義字整理：

1. **friendship** (ˈfrɛndˌʃɪp) *n.* 友誼
   - = companionship
     (kəmˈpænjənˌʃɪp)
   - = comradeship (ˈkɑmrædˌʃɪp)
   - = relationship (rɪˈleʃənˌʃɪp)

2. **flash** (flæʃ) *v.* 閃現
   - = display (dɪˈsple)
   - = show (ʃo)
   - = present (prɪˈzɛnt)

3. **acquaintance** (əˈkwentəns)
   n. 認識的人
   - = friend (frɛnd)
   - = contact (ˈkɑntækt)
   - = comrade (ˈkɑmræd)
   - = associate (əˈsoʃɪɪt)

4. **at ease** 自在
   - = relaxed (rɪˈlækst)
   - = comfortable (ˈkʌmfətəbļ)
   - = free from worry

5. **buzz** (bʌz) *n.* 嗡嗡聲；吵雜聲
   - = excitement (ɪkˈsaɪtmənt)
   - = sensation (sɛnˈseʃən)

6. **appearance** (əˈpɪrəns) *n.*
   外表
   - = look (lʊk)
   - = face (fes)
   - = image (ˈɪmɪdʒ)
   - = looks (lʊks)

7. **manners** (ˈmænəz) *n. pl.*
   禮貌
   - = demeanor (dɪˈminə)
   - = conduct (ˈkɑndʌkt)
   - = behavior (bɪˈhevjə)

8. **example** (ɪgˈzæmpļ) *n.*
   例子；榜樣；典範
   - = model (ˈmɑdļ)
   - = ideal (aɪˈdiəl)
   - = illustration (ˌɪləsˈtreʃən)

9. **practice** (ˈpræktɪs) *v.* 實行
   - = perform (pəˈfɔrm)
   - = carry out
   - = put into practice

INDEX・索引

※ 可利用索引，檢查你是否都認識這些字。

abundance[6] 144	colorful[2] 8	desirable[3] 21
accessible[6] 1	compassionate[5] 14	develop[2] 144
accommodating[6] 1	compliment[6] 14	diplomatic[6] 21
accountable[6] 1	compromise[5] 14	distinctive[5] 21
acquaintance[4] 151	conscientious[6] 14	dynamic[4] 21
action[1] 137	considerate[5] 14	eager[3] 130
adventurous[3] 130	consistent[4] 14	earnest[4] 28
affectionate[6] 1	constant[3] 14	easy[1] 130
agreeable[4] 1	constructive[4] 14	elegant[4] 28
amiable[6] 1	content[4] 14	eloquent[6] 28
amusing[4] 1	cordial[6] 8	embrace[5] 28
appearance[2] 151	courageous[4] 8	entertain[4] 28
at ease 151	courteous[4] 8	enthusiastic[5] 28
attractive[3] 1	creative[3] 130	example[1] 151
audience[3] 144	curious[2] 130	exceptional[5] 28
authentic[6] 1	cute[1] 8	exciting[2] 28
brave[1] 137	daring[3] 21	expressive[3] 28
buzz[3] 151	dazzling[5] 21	fabulous[6] 34
calm[2] 8	decent[6] 21	fair[2] 34
carefree[5] 8	defend[4] 144	faithful[4] 34
character[2] 8	delightful[4] 21	fantastic[4] 34
cheerful[3] 8	dependable[4] 21	fascinating[5] 34

☐ fashionable³ 34	☐ host² 137	☐ lovely² 61
☐ flash² 151	☐ humble² 47	☐ magnetic⁴ 67
☐ frank² 34	☐ humorous³ 47	☐ magnificent⁴ 67
☐ friend¹ 137	☐ imaginative⁴ 54	☐ manners³ 151
☐ friendly² 34	☐ impressive³ 54	☐ marvelous³ 67
☐ friendship³ 151	☐ indispensable⁵ 54	☐ meaningful³ 67
☐ fun¹ 137	☐ indulge⁵ 144	☐ memorable⁴ 67
☐ funny¹ 34	☐ infectious⁶ 54	☐ merry³ 67
☐ generous² 40	☐ influential⁴ 54	☐ moderate⁴ 67
☐ gentle² 40	☐ informative⁴ 54	☐ modern² 67
☐ genuine⁴ 40	☐ innovative⁶ 54	☐ modest⁴ 67
☐ glad¹ 40	☐ inside and out 130	☐ natural² 74
☐ glamorous⁶ 40	☐ intelligent⁴ 54	☐ neighbor² 74
☐ gorgeous⁵ 40	☐ interaction⁴ 54	☐ nerve³ 74
☐ graceful⁴ 40	☐ invite³ 144	☐ network 74
☐ gracious⁴ 40	☐ involve⁴ 144	☐ neutral⁶ 74
☐ grateful⁴ 40	☐ jolly⁵ 61	☐ nice¹ 74
☐ handy³ 47	☐ joyful³ 61	☐ noble³ 74
☐ happy¹ 130	☐ joyous⁶ 61	☐ notable⁵ 74
☐ harmony⁴ 47	☐ laugh¹ 61	☐ noticeable⁵ 74
☐ helpful² 47	☐ law-abiding 137	☐ open¹ 80
☐ heroic⁵ 47	☐ leader¹ 137	☐ opinion² 80
☐ honest² 47	☐ leadership² 61	☐ optimistic³ 80
☐ honor³ 144	☐ listener¹ 61	☐ organized² 80
☐ honorable⁴ 47	☐ lively³ 61	☐ original³ 80
☐ hospitable⁶ 47	☐ logical⁴ 61	☐ originality⁶ 80

☐ outgoing[5] 80	☐ radiate[6] 99	☐ sociable[6] 105
☐ outrageous[6] 80	☐ reasonable[3] 99	☐ social[2] 105
☐ outstanding[4] 80	☐ recognition[4] 99	☐ socialize[6] 117
☐ passion[3] 93	☐ recognize[3] 144	☐ solid[3] 105
☐ passionate[5] 87	☐ reliable[3] 99	☐ soul[1] 117
☐ patience[3] 93	☐ remarkable[4] 99	☐ sparkle[4] 117
☐ patient[2] 87	☐ respectable[4] 99	☐ special[1] 111
☐ peaceful[2] 87	☐ respectful[4] 99	☐ spectacular[6] 111
☐ people person 137	☐ responsible[2] 99	☐ spectator[5] 137
☐ personality[3] 93	☐ risk[3] 99	☐ spontaneous[6] 111
☐ persuasive[4] 93	☐ satisfy[2] 117	☐ straightforward[5] 111
☐ playful[2] 93	☐ seek[3] 117	☐ strength[3] 117
☐ pleasant[2] 93	☐ sensible[3] 105	☐ substance[3] 117
☐ polite[2] 87	☐ sensitive[3] 105	☐ succeed[2] 117
☐ positive[2] 87	☐ serve[1] 117	☐ successful[2] 111
☐ powerful[2] 87	☐ sexy[3] 105	☐ talkative[2] 124
☐ practice[1] 151	☐ sharp[1] 130	☐ teach[1] 124
☐ pretty[1] 93	☐ shine[1] 111	☐ team[2] 124
☐ productive[4] 87	☐ show[1] 111	☐ terrific[2] 124
☐ professional[6] 93	☐ significant[3] 105	☐ thoughtful[4] 124
☐ proficient[6] 87	☐ simple[1] 105	☐ thrill[5] 124
☐ prosperous[4] 87	☐ sincere[3] 105	☐ tolerant[4] 124
☐ pure[3] 93	☐ skillful[2] 111	☐ touch[1] 124
☐ quick[1] 130	☐ smile[1] 111	☐ trustworthy 124

How to Be Popular

全書 216 句

聽「英文一字金」就和聽唸經一樣，再重複不停地唸，就能脫口而出！

1. Be accessible.
   Accountable.
   Amiable.

   一回九句，
   可用手機重
   複循環聽。

   Agreeable.
   Attractive.
   Affectionate.

   Authentic.
   Amusing.
   Accommodating.

4. Be daring.
   Dazzling.
   Decent.

   Dependable.
   Desirable.
   Delightful.

   Dynamic.
   Diplomatic
   Distinctive.

2. Be cute.
   Calm.
   Carefree.

   Cordial.
   Courteous.
   Courageous.

   Cheerful.
   Colorful.
   Have good character.

5. Embrace.
   Entertain.
   Be enthusiastic.

   Exciting.
   Exceptional.
   Expressive.

   Earnest.
   Elegant.
   Truly eloquent.

3. Compliment.
   Compromise.
   Be compassionate.

   Content.
   Constant.
   Conscientious.

   Considerate.
   Consistent.
   Constructive.

6. Be fair.
   Faithful.
   Fantastic.

   Fascinating.
   Fashionable.
   Fabulous.

   Frank.
   Friendly.
   Funny.

7. Be gentle.
Genuine.
Very generous.

Gracious.
Graceful.
Extremely grateful.

Glad.
Glamorous.
Gorgeous.

10. Be jolly.
Joyful.
Joyous.

Lively.
Lovely.
Logical.

A good listener.
Show leadership.
Make people laugh.

8. Be honest and fair.
Honorable and just.
Hospitable and friendly.

Humble and kind.
Humorous and smart.
Handy and useful.

Helpful and courteous.
Heroic and brave.
Promote harmony
   and cooperation.

11. Be magnetic.
Magnificent.
Marvelous.

Merry.
Memorable.
Meaningful.

Modern.
Moderate.
Modest and humble.

9. Be quite impressive.
Imaginative.
Informative.

Innovative.
Infectious.
Influential.

Intelligent.
Absolutely indispensable.
Seek interaction.

12. Be nice.
Natural.
Neutral.

Noble.
Notable.
Very noticeable.

A good neighbor.
Have nerve.
Expand your network.

13. Be outgoing.
Outrageous.
Truly outstanding.

Open.
Organized.
Highly optimistic.

Original.
Have an opinion.
Show originality.

16. Be reliable.
Remarkable.
Reasonable.

Respectable.
Respectful.
Responsible.

Radiate warmth.
Take risks.
Seek recognition.

14. Be polite.
Powerful.
Really positive.

Productive.
Proficient.
Prosperous.

Peaceful.
Passionate.
Extremely patient.

17. Be sensible.
Sensitive.
Sexy.

Simple.
Significant.
Deeply sincere.

Social.
Sociable.
Particularly solid.

15. Be playful.
Pleasant.
Persuasive.

Pure.
Pretty.
Professional.

Have passion.
Patience.
Personality.

18. Smile.
Shine.
Show your best.

Be special.
Spectacular.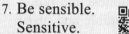
Spontaneous.

Skillful.
Successful.
Very straightforward.

19. Seek.
　　Serve.
　　Satisfy.

　　Sparkle.
　　Socialize.
　　Truly succeed.

　　Have soul.
　　Strength.
　　Substance.

20. Teach.
　　Touch.
　　Thrill others.

　　Be talkative.
　　Terrific.
　　Very thoughtful.

　　Tolerant.
　　Trustworthy.
　　A team player.

21. Be happy.
　　Curious.
　　Adventurous.

　　Easy to know.
　　Eager to make friends.
　　Quick on your feet.

　　Creative.
　　A sharp dresser.
　　Beautiful inside
　　　and out.

22. Be a leader.
　　A brave soul.
　　A part of the action.

　　A good friend.
　　A good host.
　　A law-abiding citizen.

　　A fun person.
　　A people person.
　　A participant, not a spectator.

23. Indulge others.
　　Invite others to join.
　　Share your abundance.

　　Defend the weak.
　　Develop a following.
　　Entertain the audience.

　　Get involved.
　　Get recognized.
　　Honor your word.

24. Seek friendship.
　　Flash a smile.
　　Make new acquaintances.

　　Put people at ease.
　　Create a buzz.
　　Maintain your appearance.

　　Have manners.
　　Lead by example.
　　Practice what
　　　you preach.

劉毅「英文一字金」每週四上課

　　一個人背單字很辛苦,大家一起背就變簡單。「英文一字金」的發明,將讓同學快速增加單字。寫作能力、會話能力,考試能力都能大幅提升。

Ⅰ. **開課目的:** 把這種顛覆傳統的方法,快速傳播出去,解救受苦受難的同學和老師。背了「英文一字金」,便能看到學好英文的希望。

Ⅱ. **收費標準:** 9,900元(課程結束前,在一分半鐘內背完216句,可得獎學金1萬元)

Ⅲ. **上課內容:** 協助同學背完「英文一字金」216句,並利用這216句排列組合,可以演講、寫作、準備考試。唯有背到一分半鐘之內,變成直覺,成為長期記憶,才能累積。

Ⅳ. **上課時間:** 每週四晚上6:30～9:30,共16週。循環上課,隨到隨上。

Ⅴ. **報名資格:** 不限年齡、不限程度,人人可以參加。特別歡迎英文老師,背完後,把這個革命性的方法傳出去。

Ⅵ. **上課地點:** 台北市許昌街17號6樓　TEL: (02) 2389-5212
　　　　　　　　(台北火車站前,捷運8號出口,1分鐘即可到達)

本書所有人

姓名 ＿＿＿＿＿＿＿＿＿＿＿＿　電話 ＿＿＿＿＿＿＿＿＿

地址 ＿＿＿＿＿＿＿＿＿＿＿＿＿＿＿＿＿＿＿＿＿＿＿＿

（如拾獲本書，請通知本人領取，感激不盡。）

「英文一字金②人見人愛經」背誦記錄表

篇　名	口試通過日　期	口試老師簽　名	篇　　名	口試通過日　期	口試老師簽　名
1. A			*13.* O		
2. C (1)			*14.* P (1)		
3. C (2)			*15.* P (2)		
4. D			*16.* R		
5. E			*17.* S (1)		
6. F			*18.* S (2)		
7. G			*19.* S (3)		
8. H			*20.* T		
9. I			*21.* Be happy.		
10. J,L			*22.* Be a leader.		
11. M			*23.* 動詞片語 (1)		
12. N			*24.* 動詞片語 (2)		

「財團法人臺北市一口氣英語教育基金會」
提供 *100* 萬元獎金，領完為止！

1. 每一回九句，5 秒鐘內背完。

2. 每次可背多回，每天口試只限 2 次。

3. 在 1 分半鐘內，背完整本 216 句，可得獎金 2,000 元。

4. 5 分鐘內一次背完「英文一字金①～④」，可再得獎金 2,000 元。

5. 背誦地點：台北市許昌街 17 號 6F-6【一口氣英語教育基金會】
　　TEL: (02) 2389-5212

英文一字金②人見人愛經
One Word English ② How to Be Popular

售價：280 元

主　　　編 / 劉　毅

發　行　所 / 學習出版有限公司　　　☎ (02) 2704-5525

郵 撥 帳 號 / 05127272 學習出版社帳戶

登　記　證 / 局版台業 *2179* 號

印　刷　所 / 裕強彩色印刷有限公司

台 北 門 市 / 台北市許昌街 10 號 2F　　☎ (02) 2331-4060

台灣總經銷 / 紅螞蟻圖書有限公司　　　☎ (02) 2795-3656

本公司網址　www.learnbook.com.tw

電 子 郵 件　learnbook@learnbook.com.tw

2019 年 5 月 1 日初版

4713269383215

高三同學要如何準備「升大學考試」

　　考前該如何準備「學測」呢？「劉毅英文」的同學很簡單，只要熟讀每次的模考試題就行了。每一份試題都在7000字範圍內，就不必再背7000字了，從後面往前複習，越後面越重要，一定要把最後10份試題唸得滾瓜爛熟。根據以往的經驗，詞彙題絕對不會超出7000字範圍。每年題型變化不大，只要針對下面幾個大題準備即可。

準備「詞彙題」最佳資料：

背了再背，背到滾瓜爛熟，讓背單字變成樂趣。

　　考前不斷地做模擬試題就對了！

你做的題目愈多，分數就愈高。不要忘記，每次參加模考前，都要背單字、背自己所喜歡的作文。考壞不難過，勇往直前，必可得高分！

練習「模擬試題」，可參考「學習出版公司」最新出版的「7000字學測試題詳解」。我們試題的特色是：

①以「高中常用7000字」為範圍。 ②經過外籍專家多次校對，不會學錯。③每份試題都有詳細解答，對錯答案均有明確交待。

「克漏字」如何答題

　　第二大題綜合測驗（即「克漏字」），不是考句意，就是考簡單的文法。當四個選項都不相同時，就是考句意，就沒有文法的問題；當四個選項單字相同、字群排列不同時，就是考文法，此時就要注意到文法的分析，大多是考連接詞、分詞構句、時態等。「克漏字」是考生最弱的一環，你難，別人也難，只要考前利用這種答題技巧，勤加練習，就容易勝過別人。

準備「綜合測驗」（克漏字）可參考「學習出版公司」最新出版的「7000字克漏字詳解」。

　本書特色：
　1. 取材自大規模考試，英雄所見略同。
　2. 不超出7000字範圍，不會做白工。
　3. 每個句子都有文法分析。一目了然。
　4. 對錯答案都有明確交待，列出生字，
　　　不用查字典。
　5. 經過「劉毅英文」同學實際考過，效
　　　果極佳。

「文意選填」答題技巧

　　在做「文意選填」的時候，一定要冷靜。你要記住，一個空格一個答案，如果你不知道該選哪個才好，不妨先把詞性正確的選項挑出來，如介詞後面一定是名詞，選項裡面只有兩個名詞，再用刪去法，把不可能的選項刪掉。也要特別注意時間的掌控，已經用過的選項就劃掉，以免重複考慮，浪費時間。

準備「文意選填」，可參考「學習出版公司」最新出版的「7000字文意選填詳解」。

特色與「7000字克漏字詳解」相同，不超出7000字的範圍，有詳細解答。

「閱讀測驗」的答題祕訣

① 尋找關鍵字——整篇文章中,最重要就是第一句和最後一句,第一句稱為主題句,最後一句稱為結尾句。每段的第一句和最後一句,第二重要,是該段落的主題句和結尾句。從「主題句」和「結尾句」中,找出相同的關鍵字,就是文章的重點。因為美國人從小被訓練,寫作文要注重主題句,他們給學生一個題目後,要求主題句和結尾句都必須有關鍵字。

② 先看題目、劃線、找出答案、標題號——考試的時候,先把閱讀測驗題目瀏覽一遍,在文章中掃瞄和題幹中相同的關鍵字,把和題目相關的句子,用線畫起來,便可一目了然。通常一句話只會考一題,你畫了線以後,再標上題號,接下來,你找其他題目的答案,就會更快了。

③ 碰到難的單字不要害怕,往往在文章的其他地方,會出現同義字,因為寫文章的人不喜歡重覆,所以才會有難的單字。

④ 如果閱測內容已經知道,像時事等,你就可以直接做答了。

準備「閱讀測驗」,可參考「學習出版公司」最新出版的「7000字閱讀測驗詳解」,本書不超出7000字範圍,每個句子都有文法分析,對錯答案都有明確交待,單字註明級數,不需要再查字典。

「中翻英」如何準備

可參考劉毅老師的「英文翻譯句型講座實況DVD」,以及「文法句型180」和「翻譯句型800」。考前不停地練習中翻英,翻完之後,要給外籍老師改。翻譯題做得越多,越熟練。

「英文作文」怎樣寫才能得高分？

① 字體要寫整齊，最好是印刷體，工工整整，不要塗改。

② 文章不可離題，尤其是每段的第一句和最後一句，最好要有題目所說的關鍵字。

③ 不要全部用簡單句，句子最好要有各種變化，單句、複句、合句、形容詞片語、分詞構句等，混合使用。

④ 不要忘記多使用轉承語，像*at present*（現在），*generally speaking*（一般說來），*in other words*（換句話說），*in particular*（特別地），*all in all*（總而言之）等。

⑤ 拿到考題，最好先寫作文，很多同學考試時，作文來不及寫，吃虧很大。但是，如果看到作文題目不會寫，就先寫測驗題，這個時候，可將題目中作文可使用的單字、成語圈起來，寫作文時就有東西寫了。但千萬記住，絕對不可以抄考卷中的句子，一旦被發現，就會以零分計算。

⑥ 試卷有規定標題，就要寫標題。記住，每段一開始，要內縮5或7個字母。

⑦ 可多引用諺語或名言，並注意標點符號的使用。文章中有各種標點符號，會使文章變得更美。

⑧ 整體的美觀也很重要，段落的最後一行字數不能太少，也不能太多。段落的字數要平均分配，不能第一段只有一、兩句，第二段一大堆。第一段可以比第二段少一點。

準備「英文作文」，可參考「學習出版公司」出版的：